D1452549

CRÓNICAS DE LA GUERRA CIVIL

Manuel Chaves Nogales

CRÓNICAS
DE LA GUERRA CIVIL

(agosto de 1936 - septiembre de 1939)

Edición de Mª Isabel Cintas Guillén

Prólogo de *Santos Juliá*

Esta obra ha sido publicada en colaboración con la
DIPUTACIÓN DE SEVILLA

www.editorialrenacimiento.com
POLÍGONO NAVE EXPO, 17 • 41907 VALENCINA DE LA CONCEPCIÓN (SEVILLA)
TEL.: (+34)955998232 • editorial@editorialrenacimiento.com

Diseño de cubierta: Alfonso Meléndez

DEPÓSITO LEGAL: BI-3036-2011 • ISBN: 978-84-15177-30-2

Impreso en España • Printed in Spain

PRÓLOGO

«Yo era eso que los sociólogos llaman un pequeño burgués liberal, ciudadano de una república democrática y parlamentaria»: con tales señas de identidad, como evocando un tiempo pasado y un mundo perdido, se presentó Manuel Chaves Nogales a sus lectores de América en el prólogo a las «nueve alucinantes novelas» que bajo el título *A sangre y fuego. Héroes, bestias y mártires de España*, escribió en Montrouge entre enero y marzo de 1937 y publicó en Chile ese mismo año. Y eso era él, en efecto, si por pequeño burgués se entiende también al reportero que llega a ocupar la dirección de su periódico. Aquellas nueve novelas no eran, sin embargo, obra de imaginación y pura fantasía, puesto que las había extraído «fielmente de hechos rigurosamente verídicos», ocurridos en los primeros meses de la guerra civil. Testigo de aquellos hechos, el pequeño burgués se convirtió en un «intelectual liberal al servicio del pueblo», como escribió, desde la mesa de redacción, en el primer artículo sobre la guerra civil enviado desde su exilio en Francia al diario *La Nación*, de Buenos Aires, en enero de 1937.

Chaves Nogales se identificó como intelectual liberal al servicio del pueblo en el mismo momento en que daba por cancelado su compromiso con el Consejo Obrero, formado por delegados de los talleres, de dirigir el diario madrileño *Ahora*, del que fue reportero, redactor-jefe, subdirector y, finalmente, «camarada director»*. Su compromiso duró poco menos de cuatro meses, exactamente el mismo tiempo que tardó el Gobierno de la República en abandonar la capital para establecerse en Valencia desde los primeros días de noviembre de 1936. En lugar de permanecer en Madrid, asediado por las tropas rebeldes, o de seguir al Gobierno en su retirada a Valencia, como hicieron otros intelectuales igualmente liberales, Chaves se apartó «con miedo y con asco de la lucha» y tomó el camino del destierro cuando todo el mundo, comenzando por el presidente del Gobierno, Francisco Largo Caballero, daba por hecho que Madrid no podría resistir y dejó su defensa al cuidado de una Junta presidida por un general, José Miaja, que se había mantenido leal a la República.

Antes de tomar el camino del exilio, el camarada director de *Ahora* había enviado a *La Nación*, de Buenos Aires, un artículo en el que trataba de informar sobre «lo que pasa en España y lo que pasará». Eran los primeros días de agosto de 1936, apenas dos semanas después de la rebelión militar, y Chaves atribuía a espíritus simplistas y elementales la afirmación de que en España se libraba una guerra entre comunismo y fascismo. No era tampoco una de las bárbaras y primitivas contiendas interiores propias de un país políticamente atrasado, como se había escrito en Londres, comparando España con Albania; ni se trataba de una revolución original que alumbrara nuevos caminos a la humanidad. Ni era, en fin, una guerra civil. Lo que pasaba era sencillamente

* Del trabajo de Manuel Chaves Nogales en el diario *Ahora* se ha ocupado con todo detalle María Isabel Cintas Guillén en la excelente «Introducción» a su *Obra periodística*. Sevilla, Diputación Provincial, Biblioteca de Autores Sevillanos, 2001, tomo I, pp. XCIII-CLXV.

que media España luchaba contra la fuerza armada de la nación que había traicionado al poder legítimamente constituido. El futuro dependería de lo que aguantaran los rebeldes: mientras más tiempo tardaran en ser derrotados, mayor será la victoria del pueblo y más firme la base sobre la que un gobierno de izquierda se sustentaría en el futuro sobre un proletariado militante.

Esta visión de lo que estaba ocurriendo bajo su mirada en las primeras semanas que siguieron a la rebelión militar fue lo que le movió a aceptar su compromiso de intelectual liberal, un ave rara en el panorama político no ya español sino europeo de los años treinta, cuando no eran precisamente el liberalismo ni la democracia los valores en alza, sino más bien el culto al Estado fuerte, el Estado que no se avergonzaba de identificarse como totalitario. Al cabo, pensaban muchos en España, la rebelión acabaría por ser derrotada y el Gobierno de aquella República democrática y parlamentaria de la que él se consideraba ciudadano saldría reforzado de la prueba, como ya había ocurrido cuatro años antes, en agosto de 1932, con la intentona del general Sanjurjo. Y a una República democrática, aunque en esta ocasión la derrota de los militares se saldara con una crecida presencia del proletariado militante en su Gobierno, el periodista Manuel Chaves siempre estaría dispuesto a servir.

Pero aquel reportero convertido en camarada director, que conocía de primera mano la experiencia fascista y la comunista, se sentía congénitamente incapaz de abrazar ninguna forma de partido o de Estado totalitario y había llegado muy pronto a la conclusión, derivada de su propia educación, de sus opciones políticas, y de sus experiencias directas, de que, en punto a totalitarismo, no había diferencia entre fascismo o nazismo y comunismo o estalinismo. De momento, sin embargo, no se trataba de eso en España o, al menos él todavía no lo veía así: en el Consejo Obrero que le pidió su colaboración como director no había totalitarios, eran sindicalistas de UGT y de CNT. Chaves, pues, se quedó para contar lo que estaba ocurriendo y para defender desde las páginas de su periódico la República democrática atacada desde dentro por los militares que habían traicionado su juramento de lealtad al orden constitucional y que, al fracasar en la capital, habían desencadenado una revolución, claramente visible en la incautación de su periódico por los sindicatos, la formación del comité obrero y su misma designación como director.

Si todo esto fue así, ¿por qué dio por terminado su compromiso pocos días después de que el Gobierno se trasladara a Valencia? Fue en ese momento, dice él, cuando tuvo la convicción de que todo estaba perdido. Escrita esta confesión en los primeros meses de 1937, quedaban todavía por delante dos años largos de guerra civil y de resistencia popular. ¿Por qué dar, entonces, todo por perdido a mediados de noviembre de 1936, cuando Madrid resistía el embate de las tropas rebeldes? Seguramente, porque el rostro de la guerra se había transformado y lo que en los primeros días había definido él como una traición de militares, aplastada por un pueblo echado a la calle, se había convertido a sus ojos en una guerra entre fascismo y comunismo, entre la revolución social y el imperialismo capitalista, una visión de lo que pasaba en España que él mismo había desechado en los primeros días de agosto por demasiado simplista; una visión que, no por casual coincidencia, era también la de Clara Campoamor cuando dos meses antes que Chaves, a primeros de septiembre, decidió abandonar Madrid. Hoy España, escribió Campoamor, «es el tablero donde las dos fuerzas internacionales en lucha, fascismo y comunismo, se juegan la hegemonía mundial»*.

* En *La revolución española vista por una republicana*, firmada en París, en noviembre de 1936. Cito por la edición de Luis Español Bouché, Sevilla, Espuela de Plata, 2005, p. 141.

En esta simplificación de lo que estaba en juego en lo que ya todo el mundo llamaba guerra civil o guerra de España, tuvo mucho que ver lo que estaba ocurriendo en Madrid; era, por así decir, una visión madrileña de la guerra. Con la aviación italiana bombardeando la capital y con las brigadas internacionales aprestándose a su defensa, la guerra había adquirido una nueva y muy diferente dimensión, perceptible sobre todo en Madrid, que los sublevados pretendían conquistar a toda costa, convencidos de que su caída significaba la derrota de la República, y que el Gobierno se había apresurado a abandonar argumentado que su defensa se garantizaba mejor desde fuera. La pasividad de las democracias ante la agresión de la Italia fascista y de la Alemania nazi había motivado la intervención de la Unión Soviética que, a su vez, reforzó al Partido Comunista de España en su decisión de defensa de la República. Contra toda expectativa razonable, Madrid resistió el primer ataque de los rebeldes y rechazó los siguientes, deteniendo así en sus arrabales el fulgurante avance de las tropas ya en aquel momento franquistas, lo que dio lugar a la consolidación de dos nuevos poderes en el fragmentado sistema político republicano. Por una parte, lejos del Gobierno, los jefes del nuevo Ejército de la República comenzaron a asumir responsabilidades propias en la conducción de la guerra, introduciendo el orden en la frágil resistencia de las milicias. Por otra, y más importante desde el punto de vista de la política, el Partido Comunista se presentó como artífice de la «gran tarea de defender Madrid» y hacerlo de tal modo que sus militantes sobresalieran «dos palmos por encima de cualquier obrero de otra organización y de otros partidos», como se decía en sus manifiestos.

Madrid se llenó de carteles con consignas comunistas adornadas con la hoz y el martillo, las juventudes socialistas se fundieron con las comunistas en una nueva organización rápidamente incorporada a la disciplina de la Tercera Internacional. El mismo día que Chaves Nogales abandonaba Madrid, publicaban los periódicos un saludo de la Brigada Internacional al pueblo de España en el que se decía que «el hecho de que en la Brigada estén en gran mayoría los comunistas, no cambia, en absoluto, su carácter de Frente Popular». Y en la cartelera madrileña, donde solo tres cinematógrafos resistían abiertos, se anunciaba a precios populares la proyección de unos documentales producidos o presentados por el regimiento de milicias «Pasionaria» y por el Socorro Rojo Internacional, y dos películas de procedencia soviética: *Chapaief, el guerrillero rojo* y *La Patria te llama*. Garantizando el orden en la retaguardia y la resistencia en el frente de batalla, los comunistas sobresalieron en Madrid efectivamente dos y hasta tres palmos por encima de cualquier otra organización, un proceso del que Chaves Nogales había tomado buena nota: lo que definió en agosto como resistencia del pueblo contra la agresión militar, en noviembre se había transformado, a sus ojos que veían Madrid cubierto por grandes retratos de Lenin y Stalin, y José Díaz y Pasionaria, en una guerra entre comunismo y fascismo.

Con estas imágenes en la retina, lejos de Madrid, aquel reportero de raza, que escribía por contacto directo con las realidades, redujo la complejidad de la lucha a dos términos que dejaban fuera más de la mitad de las cosas que estaban ocurriendo en España en aquel otoño de 1936. Y quizá también por esa misma razón, su apresuramiento al anunciar desde finales de mayo de 1937 el comienzo del fin de la guerra. Si, en efecto, la guerra, tal como él había podido vivirla en Madrid, había tomado el carácter de una lucha entre comunismo y fascismo, entonces la crisis de abril en Salamanca, con la detención y encarcelamiento de varios dirigentes de Falange, con Manuel Hedilla a la cabeza, sumada a la crisis de mayo en Valencia, con el nombramiento de Juan Negrín como presidente del Gobierno de la República, debía interpretarse como una derrota, por un lado, del fascismo y, por otra, del comunismo. No había, por tanto, razones para seguir en guerra, porque, como ratificará Chaves en octubre del mismo año, aquella polarización entre fascismo y comunismo había dejado de tener sentido. Ni resistencia popular a la traición militar, ni guerra entre dos totalitarismos, España padecía ahora una «doble invasión extranjera». Exasperado por la interminable matanza, Chaves Nogales se preguntaba por qué esta horrenda guerra no terminaba de una vez. Y su respuesta es invariable: si solo dependiera de los españoles habría terminado hace mucho tiempo.

El énfasis en el agotamiento de la guerra como conflicto interno de España, la insistencia en que el poder real en la España nacionalista había pasado a manos de Mussolini o de Hitler, mientras el régimen republicano mostraba, como si fuera un milagro, una extraordinaria e inesperada vitalidad, y su reiterada afirmación de que fascismo y comunismo eran fuerzas extrañas a la realidad española, se dirigían a llamar la atención de las potencias democráticas sobre el peligro de una conflagración general en Europa. ¿Qué hacer para acabar de una vez con esta estéril guerra? pregunta de nuevo, tras los acuerdos de Múnich, cuando la República, desbordada en los primeros momentos por la rebelión militar y la revolución proletaria, ha cumplido dos años de resistencia, batiéndose en constante retirada, obligada a pactar con las fuerzas de la revolución internacional. Franco, que habría delegado las funciones de Jefe de Gobierno en el general Jordana, quedaba reducido, en octubre de 1938, siempre según el juicio de Chaves, a «mero instrumento» del imperialismo de las fuerzas totalitarias. Era preciso, por tanto, conseguir la retirada total de italianos y alemanes, obligar a Mussolini y a Hitler a renunciar a su aventura española; que retiraran de verdad sus tropas, especialmente su aviación, arma que les había proporcionado la superioridad en el campo de batalla. Favorecer el triunfo de Franco, escribe Chaves, es provocar una nueva amenaza de guerra.

Es entonces, ante la inminencia de la derrota de la República y de la consiguiente incorporación de España a la política imperialista de las potencias totalitarias, cuando Manuel Chaves defiende la propuesta de una mediación que evite la guerra de exterminio. Consciente de que esa idea levanta tempestades de protestas tanto en la España republicana como en la España de Franco, cree sin embargo que si fuera posible convocar un plebiscito el 99 por ciento de los españoles se manifestarían por la mediación y el compromiso. Es posible que con esta llamada Manuel Chaves se hiciera eco, a su modo, de lo que acababa de decir el presidente de la República, Manuel Azaña, cuando urgió a las potencias democráticas, Reino Unido y Francia, a imponer en España una suspensión de armas, permaneciendo cada Ejército en sus posiciones, de modo que se pusiera en marcha un periodo de transición bajo tutela internacional hasta que los españoles pudieran darse el régimen que quisieran. Azaña había dicho en su último discurso de 18 de julio de 1938, que la guerra civil estaba agotada y que ningún credo político tenía derecho, para conquistar el poder, a someter a su país al horrendo martirio que estaba sufriendo; que, en realidad, lo que estaba en juego era la incorporación de España al nuevo sistema nacido en Roma para servir los intereses de la naciente hegemonía italiana en el Mediterráneo. Azaña no podía entender que Reino Unido y Francia mantuvieran su pasividad ante la amenaza que sobre ellos se cernía con el triunfo de Franco en la guerra de España.

Como es bien sabido, ni en el Quai d'Orsay ni en el Foreign Office prestaron atención a estas llamadas. Todavía a finales de enero de 1939, consumada la caída de Cataluña, Manuel Chaves publicará otro artículo clamando por la salvación de lo que queda del Ejército de la República, al que se había negado la victoria impidiendo la venta de armas. Son todavía, según sus cuentas, medio millón de hombres, a los que Franco y sus aliados pretenden aniquilar físicamente uno por uno. Si Franco se instala en Barcelona, no será posible mantener por más tiempo el equívoco de la no-intervención que ha permitido acabar con la República. Pero ese equívoco existe desde el inicio mismo de la guerra; o mejor, más que un equívoco, al que nadie se había llamado, fue desde su mismo origen una farsa. La no-intervención siempre dejó mano libre a Hitler y a Mussolini para hacer lo que bien quisieran en España. Chaves tenía todas las razones para saberlo y Azaña, desde enero de 1937, no se cansaba de repetir que la política de no intervención, que atribuía más a Inglaterra que a Francia, era el principal enemigo de la República.

Nada movió a Francia ni a Gran Bretaña a tomar ninguna iniciativa que impusiera la retirada de italianos y alemanes e impidiera la derrota sin condiciones de la República. Tres meses después del fin de la guerra, las ejecuciones capitales se seguían produciendo diariamente. Cuando Chaves vuelva a ocuparse de la situación interna de España será para denunciar el «terror blanco» que se ha desatado sobre los vencidos, «condenados a sufrir y a morir en el infierno de la España nacionalista». Hay quien cree, escribe, que el horror de hoy como la atroz guerra de ayer provienen del carácter español. Chaves no se lo podía creer: los españoles han sido siempre feroces en el combate pero magnánimos en el triunfo. Así que será preciso atribuir esta «crueldad bárbara y primitiva que Franco practica ante el mundo entero», crueldad de horda victoriosa, de una banda de sicarios que jamás podrá compararse con los oficiales del Santo Oficio, a la crueldad de los agentes de la Gestapo. España había caído, según el periodista sevillano, bajo dominio alemán.

Esta es no más que una síntesis posible de la línea quebrada que dibujan los análisis escritos por Manuel Chaves Nogales, y reunidos en su integridad por vez primera en este libro, sobre la guerra civil española a partir de un día de noviembre de 1936 en que decidió emprender el camino del exilio. Resistencia armada frente a una traición, guerra entre dos totalitarismos, revolución contra imperialismo, invasión extranjera, mediación frente al terror blanco, constituyen las principales etapas de un argumento que se mueve sobre la reiterada convicción de que sin la intervención de Alemania e Italia, la rebelión militar de julio de 1936 no habría ido mucho más allá de la rebelión militar de agosto de 1932. En la tensión que recorre tantos análisis de la guerra civil española como culminación de conflictos seculares internos o como preludio de la guerra mundial que se avecinaba, Manuel Chaves Nogales se inclinó, olvidando sus impresiones de los primeros días, hacia la intervención extranjera, quizá porque su mirada del exilio siguió velada por las últimas imágenes de aquel Madrid, bombardeado por aviones fascistas y defendido por brigadistas internacionales.

SANTOS JULIÁ

NOTA A LA EDICIÓN

RECOGEMOS en este libro una selección de artículos de Chaves Nogales publicados en diversos periódicos del mundo. Tienen en común el tratamiento de aspectos de la guerra civil que se estaba desarrollando en España, publicados entre agosto de 1936 y septiembre de 1939, fechas que sirven de marco cronológico. Algunos aparecieron recogidos dentro de la *Obra periodística* (Diputación de Sevilla, 2001), pero otros permanecían inéditos hasta que han sido rescatados para esta edición, procedentes de distintas publicaciones, que van desde la prensa sudamericana a la norteamericana, pasando por publicaciones europeas. Insistimos en el carácter de selección, ya que nos consta la colaboración de Chaves Nogales con otros muchos periódicos en los que no hemos tenido posibilidad de realizar las búsquedas oportunas, lo que dejamos para las nuevas generaciones de investigadores que felizmente están apareciendo atraídas por el magisterio del periodista sevillano.

Los artículos fueron escritos originariamente en castellano y traducidos al francés o al inglés, según el caso, por amigos o colaboradores para su publicación. De nuevo han sido vertidos al castellano, por lo que somos conscientes de la pérdida de rasgos del estilo primigenio que han debido sufrir en este doble camino. Agradecemos el esfuerzo de los traductores Elena Cuasante Fernández, Pedro Pardo Jiménez, Marie Christine del Castillo, Pilar González Fandos, y Victoria León Varela, que se han visto obligados a veces a trabajar con textos de periódicos de difícil lectura.

Cuando estos artículos se escribieron, Chaves estaba exiliado en Francia, intentando sobrevivir a la tragedia de la guerra y salir adelante con su trabajo de informador. Se había instalado en París con su familia, en un hotelito de las afueras de la ciudad y, como tantos otros exiliados de los descalabros políticos que se habían producido en Europa (Revolución rusa, nacimiento de los fascismos y nazismos, la propia guerra civil española) buscaba un lugar digno en una sociedad que él creía valedora de los principios democráticos que la Segunda República había defendido en España. Su buen nombre como periodista le permitió entrar enseguida a colaborar en periódicos como *Candide* y *L'Europe Nouvelle*, así como otros diarios y revistas a los que aludiremos enseguida, aunque la colaboración más importante fue con la agencia Cooperation Press, de la que era propietario el escritor y periodista húngaro Emery Revesz. Esta agencia enviaba colaboraciones a los más importantes periódicos ingleses y franceses, así como a un buen número de periódicos de América Latina y de EE. UU. En este último país tuvo una importante repercusión el artículo titulado «Franco Seen as Tool to Nazify South America», aparecido en el *New York Herald Tribune* el 24 de mayo de 1939. En él Chaves acusaba a Franco de «instrumento de los nazis en América del Sur». El artículo produjo una cierta conmoción en la embajada española en Washington, donde el representante de la propaganda franquista, Juan Francisco Cárdenas, ponía sobreaviso a los políticos del recién instaurado régimen del general Franco sobre la proyección que las opiniones vertidas por Chaves podían tener en los EE. UU. y especialmente en América Latina, que comenzaba a decidirse por gobiernos más democráticos, frente a la consideración del nuevo régimen español inserto en las coordenadas del fascismo. Al día siguiente de la aparición del artículo en *New York Herald Tribune* se publicó en *Excelsior* de México, con el título de «Que vise l'imperialisme espagnol?», que aquí recogemos.

En *La Nación* de Buenos Aires habían aparecido numerosas colaboraciones de Chaves junto a las de otros prestigiosos exiliados españoles, que encontraron en el periódico bonaerense una tribuna moderada y consistente, con gran influencia en Latinoamérica, para exponer sus opiniones sobre los acontecimientos que estaban ocurriendo en España. Igualmente progresistas moderados eran los periódicos y revistas donde aparecieron los restantes artículos (*Pan, La Paix Civile,* así como la prestigiosa *The Nineteenth Century,* del Reino Unido, donde solo unos meses antes Ortega y Gasset había publicado fragmentos de *La rebelión de las masas*). No tan moderado era *Madrid,* órgano de los comunistas refugiados en París, donde se publicó el artículo titulado «La gran mentira de las adhesiones al franquismo», artículo que nos ha proporcionado Francisco Espinosa.

La colaboración de Chaves con *La Dépêche* de Toulouse se mantuvo del 37 al 39. Este periódico, que se autocalificaba de «Journal de la democratie», había sido la voz de Jean Jaurés durante la Primera Guerra Mundial y ahora daba cabida en sus páginas a las opiniones de demócratas europeos, entre ellos a los españoles Diego Martínez Barrio, Marcelino Domingo, Augusto Barcia, Ossorio y Gallardo o Julio Álvarez del Vayo.

Cuando los acontecimientos europeos cambiaron la situación y Chaves, como otros muchos demócratas, se vio obligado a salir de Francia (y siendo impensable la vuelta a España), buscó la ayuda de Emery Revesz, quien le ayudó a marchar a Inglaterra. El propio Chaves cuenta en *La agonía de Francia* su partida al nuevo exilio en compañía de otros compañeros periodistas, «los más significados, los más representativos de Francia, los que con mayor tesón y coraje habían luchado contra el hitlerismo»: «Pertinax» (de *L'Europe Nouvelle*), Émile Buré (de *L'Ordre,* donde también colaboró Chaves), Madame Tabouis (de *L'Oeuvre*), o Kerillis.

Comenzó aquí para el periodista otra etapa, la última del exilio, esta vez en Londres.

MARÍA ISABEL CINTAS GUILLÉN

Tomares, octubre de 2011

CRÓNICAS DE LA GUERRA CIVIL

*LO QUE PASA EN ESPAÑA Y LO QUE PASARÁ**

8 DE AGOSTO DE 1936

Es difícil dar al mundo una explicación satisfactoria y profunda de lo que en estos momentos está pasando en España. Comunismo contra fascismo, dicen los espíritus más simplistas y elementales. Bárbaras y primitivas contiendas interiores de un país tan atrasado políticamente como Albania, decía días atrás uno de los órganos en la prensa londinense, de Lord Rothermere. Una revolución original que alumbrará nuevos caminos a la humanidad, afirman por el contrario los entusiastas de la República española. Ni lo uno ni lo otro. Ni comunismo ni fascismo. Ni en la barbarie ni en la vanguardia de la civilización. La cosa no es tan simple.

EL FRENTE POPULAR EN EL PODER

Sorprendidas las clases conservadoras por el triunfo electoral del Frente Popular en febrero pasado, tuvieron que ceder el puesto al Sr. Azaña y

* El periodista español Manuel Chaves Nogales director del periódico madrileño *Ahora* da en este artículo para *La Nación* una explicación particularmente interesante de los graves sucesos que se desarrollan en España. *(Nota de la redacción).*

abandonaron definitivamente la ilusión de adueñarse subrepticiamente de la República. Gil Robles, que había dirigido la coalición reaccionaria, se hundía rápidamente en el descrédito mientras se levantaba otra figura de tipo ya francamente dictatorial y fascista: Calvo Sotelo.

En torno a Calvo Sotelo se iban agrupando todos los núcleos reaccionarios del país, la fauna residual de la monarquía, los propietarios de la tierra, los grandes capitalistas, las juventudes ideológicamente conservadoras, las falanges miméticamente fascistas de Primo de Rivera y los oficiales del Ejército irritados y perjudicados por la política militar de Azaña. A todas estas fuerzas les dio Calvo Sotelo después de la derrota de Gil Robles una orientación francamente subversiva con sus constantes apelaciones a la violencia en pleno Parlamento.

Frente a las milicias socialistas que se organizaban y armaban rápidamente con el designio de convertirse en el brazo armado de la República por desconfianza de la lealtad para con el régimen del Ejército, las derechas españolas reaccionaron de manera violenta y subversiva. A las organizaciones de las milicias contestaba el fascismo asesinando a los oficiales republicanos y socialistas que se prestaban a instruirlas.

Durante los dos últimos meses los atentados estuvieron a la orden del día. Hoy caía un socialista, mañana un fascista. El Gobierno republicano presidía impotente este duelo a muerte entre sus aliados del Frente Popular y sus irreductibles adversarios, limitándose a aplicar el herrumbroso aparato judicial y condenar verbalmente la violencia, pero sin atreverse a emplearla, única manera eficaz de impedirla. Esto es culpa o mérito de un solo hombre: Azaña.

Durante las últimas semanas, Azaña ha visto cómo la violencia se desataba en España y estando en su mano impedirlo no lo ha hecho. ¿Por qué? Por una lealtad a sus convicciones y a un prurito típicamente intelectual de sujetar la realidad al sistema ideológico previamente elaborado que le impedían convertirse en un dictador. Azaña hubiera podido ser el dictador de España: lo sería ahora mismo si quisiera. Desde la derecha y desde la izquierda se lo han pedido una vez y otra, se lo han exigido casi, lo mismo sus correligionarios que sus adversarios. Cualquier otro hombre hubiese convertido el Frente Popular en una dictadura de izquierda. Azaña no ha querido.

EL GENERAL FRANCO Y LOS MILITARES

En estas circunstancias los fascistas asesinan a un oficial de Guardias de Asalto, instructores de las milicias socialistas y pocas horas después, en represalia, es asesinado por unos guardias de asalto, el señor Calvo Sotelo. Estos hechos precipitan los acontecimientos. El movimiento insurreccional que las derechas venían preparando cautamente y del que unos días antes se había hecho caudillo al propio Calvo Sotelo, estalla prematuramente. El Gobierno advierte súbitamente que el país está en manos de los revolucionarios y paga su imprevisión dimitiendo. Azaña, presidente de la República, tiene que afrontar personalmente la situación creada. Designa para la presidencia del Consejo a un hombre de su absoluta confianza, el Sr. Giral, y se dispone a dar la batalla. ¿Con qué cuenta? Con nada. Absolutamente nada. Unas embrionarias milicias socialistas, la problemática fidelidad de la Guardia Civil y unas compañías de Guardias de Asalto. Todo lo demás está en poder de los revolucionarios ¿Cómo ha sido posible esto?

Es la obra de un solo hombre, de una sola cabeza: el general Franco. Es este el general más joven del Ejército español, el más prestigioso e inteligente. Sus indiscutibles talentos estratégicos han estado a punto de convertir en un hecho real la monstruosidad de que un país de veinticinco millones de habitantes quedase encadenado a la voluntad despótica de unos millares de hombres resueltos a convertir en ley su capricho, su resentimiento y su incapacidad para comprender los problemas políticos, sociales y económicos de esta hora. El golpe asestado por el general Franco a la República ha sido tan certero y audaz, que contra toda lógica ha podido torcer el curso de la historia. Técnicamente ha sido irreprochable. Franco había ido distribuyendo cautamente sus peones por el mapa militar de España y en un momento dado dejó inermes e inmovilizados a los gobernantes de la República. Su maniobra era perfecta. Dueño del Ejército de África, ha sabido presentar dos frentes de batalla a la República, uno en el norte a base del irreductible tradicionalismo navarro y otro en el sur a base del naciente fascismo de los señoritos andaluces. Estos dos grupos de insurrección popular debían irse corriendo a lo largo de la frontera portuguesa con el auxilio de la Dictadura del país vecino y la incorporación de los monárquicos españoles emigrados. Unas compañías de tropas coloniales que se apoderasen por sorpresa de Málaga y Cádiz bastaban para poner en marcha la insurrección. Al mismo tiempo que se producían estos movimientos estratégicos de las únicas masas civiles con que contaba el general Franco, debía operarse la paralización casi automática de los centros militares, para lo cual tenía asegurada la adhesión de la U. M. E. (Unión Militar Española), es decir, la oficialidad del Ejército juramentado por espíritu de clase para oponerse con las armas en la mano a que España sea un país gobernado con un sentido izquierdista. Dígase lo que se quiera sobre las fuerzas que verdaderamente han tomado parte activa en la revolución, aunque se habla, y no sin fundamento, de las fuerzas socialmente conservadoras, del capitalismo, de la religión y aun de la mesocracia. La verdad, la pura verdad, es que todas estas fuerzas no han hecho más que apoyar cautelosamente el movimiento militar, verlo con simpatía, proporcionarle dinero y algunos –no demasiados– combatientes. La revolución ha sido casi exclusivamente militar. La oficialidad del Ejército ha creído posible decidir la suerte de España por sí y ante sí.

HABÍA QUE CONTAR CON EL PUEBLO

AFORTUNADAMENTE, el pueblo cuenta todavía. Los oficiales de la UME y las organizaciones fascistas que lo secundaron, lo desdeñaron y cuando se creían dueños del aparato de fuerza del país, se encontraron con que no bastaba. Lo tienen todo menos el pueblo. El Gobierno republicano, al que habían dejado inerme, contaba en cambio con el pueblo. ¿Qué significaba para la lucha este apoyo popular? Poco; unos millares de jóvenes con unas pistolas en las ciudades y una masa rural armada con hoces y escopetas de caza.

El pueblo, sin embargo, tiene más valor estratégico del que los militares revolucionarios quisieron darle. Contra toda previsión, contra toda la ciencia bélica de los mejores militares de España, el pueblo está triunfando a pesar de sus escopetas de caza y su desorganización. Esta ha sido la enorme sorpresa de los militares sublevados. ¿Cómo es posible? ¿Es que no basta la fuerza armada?

La lección está siendo terrible. El movimiento de los oficiales no se sostiene más que en aquellos lugares en los que se cuenta con una asistencia, siquiera sea parcial, es decir, en Navarra, donde existe un indiscutible sentimiento tradicionalista, y en las capitales andaluzas o castellanas, donde los núcleos fascistas le han dado un cierto sentido político e ideológico. Donde no existían tales asistencias populares, los oficiales de la UME, encerrados en sus cuarteles, han sucumbido o van sucumbiendo al asedio de una masa amorfa y casi desarmada que en ocasiones les ha hecho enloquecer de rabia y de impotencia. Los revolucionarios no pueden triunfar. Su movimiento es absolutamente impopular. No es verdad que la mitad derechista del país se haya alzado contra la mitad izquierdista. No es exactamente una guerra civil. Media España no lucha contra la otra media, sino contra la fuerza armada de la nación que ha traicionado al poder constituido.

¿QUÉ VA A PASAR?

Los revolucionarios serán fatalmente derrotados. Cuanto mayor sea su resistencia mayor será la victoria del pueblo y más definitivo el triunfo. En veinte años no se alzará en España una sola voz capaz de defender lo que hoy dicen defender los sublevados. Esta intentona ciega e ininteligente va a convertir a España en un país unilateral en el que no será posible más que una gobernación netamente izquierdista.

¿El porvenir? Un gobierno de izquierdas de aparato democrático y parlamentario, pero con una indiscutible base de fuerza: la fuerza del proletariado triunfante por las armas de la insurrección.

La solidez de esta base proletaria, en la que han de asentarse los futuros gobiernos republicanos, es el problema más grave que se presenta. Para vencer a los revolucionarios ha sido necesario armar al pueblo ¿Cómo se le desarmará después? No hay más que un procedimiento: convertir las milicias obreras en un Ejército regular, en el Ejército de la República que ha de sustituir al Ejército que se obstinó en seguir siendo de la monarquía.

Pasados estos momentos de unión sagrada vendrá, desde luego, la discriminación de las fuerzas políticas que han cooperado al triunfo y el emplazamiento de cada una en el sistema político que ha de regir a

España. Las gentes simplistas no ven más que un porvenir: el comunismo. Esta es una superstición universal. Cuando las fuerzas reaccionarias de un país sucumben ante el liberalismo, se alza invariablemente el fantasmas espantoso de un bolcheviquismo a la rusa, en el que no es lícito seguir creyendo a los diez y ocho años de la toma del poder por Lenin. Quienes se horrorizan al pensar en los estragos de un régimen comunista en España no advierten que ningún estrago sería mayor que el que en estos momentos se padece. Cabe pensar que en estos días España ha llegado al punto más alto de la marea revolucionaria y que, a partir de ahora, el movimiento de contracción del pueblo español va a permitir la instalación en el Poder de gobiernos dotados de una fuerza y un margen de confianza que al fin haga posible la vida civilizada al ciudadano español.

No es creíble que estos futuros gobiernos sean de tipo comunista. La experiencia comunista de Rusia dará al nuevo régimen español unas aportaciones típicamente comunistas, pero la tónica general de la gobernación del país será la que el triunfo impuso el 14 de abril. Un liberalismo republicano, democrático y parlamentario sostenido por una fuerza proletaria que hoy, a los diez y ocho años de la Revolución rusa, conoce sus posibilidades más exactamente que lo que sus adversarios suponen.

República democrática sostenida por el proletariado organizado que, naturalmente, seguirá luchando por sus ideales socialistas, pero dentro ya de una legalidad y un posibilismo que no serán perturbados más que por la utopía de los núcleos anarquistas, que hay que ir reduciendo, y por los residuos criminales que las revoluciones y las guerras civiles ponen a flote.

DESDE LA MESA DE LA REDACCIÓN

15 DE ENERO DE 1937

El 18 de julio el general Franco estuvo a punto de ser el amo de España. Falló el golpe. Dos días después estaba casi perdido. El pueblo había deshecho de un manotazo el arti ficio de la conjuración militar. Para que los rebeldes se rehiciesen y emprendieran la guerra de conquista, que desde ya hace medio año aniquila a España, fue preciso que otras potencias acudiesen en socorro de los sublevados y le suministrasen primero material de guerra y luego un verdadero Ejército.

Pero el golpe de mano del general Franco no ha provocado solo una guerra civil de consecuencias incalculables, sino también una revolución: una auténtica revolución social, tan dura y tan profunda como pudo serlo la revolución soviética. En Madrid, al día siguiente de derrotar a los militares sublevados que se habían encerrado en el cuartel de la Montaña, el pueblo en armas, y más concretamente, el proletariado industrial organizado sindicalmente, se lanzó entusiásticamente a la revolución. El primer acto revolucionario, después del fusilamiento en masa de los oficiales sublevados, fue la incautación de fábricas y talleres, la creación de los consejos obreros y la sustitución de hecho del régimen capitalista de la industria por un aventurado ensayo de colectivización. El general Franco, al sublevarse, había puesto en marcha la revolución social en España que, de otro modo, hubiese tardado cincuenta años en producirse.

EL CONSEJO OBRERO MANDA

Fui requerido por el Consejo Obrero que se incautó de la Editorial Estampa, empresa propietaria del diario *Ahora* y de otras importantes publicaciones en las que trabajaban más de un millar de operarios, para que me encargase de la dirección del periódico. Acepté satisfecho. Eran los mismos redactores y obreros que durante varios años había tenido a mis órdenes quienes libremente me designaban, no obstante haber sido yo el hombre de confianza del capitalista expropiado y a pesar de no haber pertenecido jamás a ningún partido proletario, ni siquiera de izquierda. Intelectual liberal adscripto a la pequeña burguesía, pude llegar fácilmente a una inteligencia con los propietarios del Consejo Obrero, quienes, con gran sorpresa por mi parte me confirieron la misión de mantener el periódico dentro de una línea política pura y exclusivamente republicana, antifascista naturalmente, pero en la misma zona templada en que puede desenvolverse cualquier órgano democrático en Europa o América. Todo exceso de lenguaje, todo afán de proselitismo revolucionario quedaba excluido. El Consejo Obrero, formado exclusivamente por veteranos militantes del comunismo, el socialismo y el sindicalismo revolucionario, al instalarse en el suntuoso salón de sesiones del consejo de administración se había hecho terriblemente conservador.

Era el público de nuestro periódico un público neutro, moderado, y no debíamos perderlo, porque el ingreso que producía la gran tirada del periódico era la base de subsistencia de la industria y de centenares de familias obreras. Había que mantener el tono objetivo de la información. Bastaba con inclinarse suavemente del lado del proletariado, pero sin estridencias ni campañas escandalosas... Este lenguaje ya lo había oído yo muchas veces en aquel salón. Era el mismo lenguaje que hablaba el capitalista expropiado. No había más diferencia que la de la suave inclinación, que antes era del lado de la derecha y ahora de la izquierda. Esto era todo.

EL NAUFRAGIO DE LOS INTELECTUALES

PERO si la industria editorial podía seguir navegando en medio de la tempestad revolucionaria, los intelectuales que la servían naufragaron al primer embate. Tenía nuestro periódico la plantilla de colaboradores más brillante de España: Miguel de Unamuno, Azorín, Pío Baroja, Ossorio y Gallardo, Julio Camba, Gregorio Marañón, Salvador de Madariaga, Ramón Gómez de la Serna y otros muchos de segunda fila. Casi todos quedaron desplazados desde el primer momento: unos como Unamuno, porque se pusieron abiertamente al lado del fascismo; otros como Pío Baroja, porque se inhibieron, y otros, como Azorín, porque no obstante haberse colocado desde el primer momento al lado de la República y del pueblo, fueron rechazados o puestos en cuarentena. Todos ellos eran hombres procedentes de la izquierda, y es curioso que solo pudiese subsistir en la estimación del proletariado el único colaborador de procedencia limpiamente derechista y conservador, don Ángel Ossorio y Gallardo, magnífico ejemplo de lealtad y sacrificio a la causa del pueblo. La deserción de los intelectuales, la típica *trahison des clercs*, dejaba la dirección ideológica de la República en manos de los jóvenes agitadores de los partidos proletarios. Pudo y debió ser de otra manera. De la inconsistencia política de los intelectuales españoles y de la incomprensión que para con ellos ha tenido el proletariado resultó beneficiado Franco. Ninguno de ellos, sin embargo, era fascista, ni lo será jamás.

LA INHUMANA DEPURACIÓN

El Consejo Obrero de nuestra editorial, formado por un delegado de cada uno de los talleres y oficinas de la industria, funcionaba bajo la fiscalización de los representantes de las dos centrales sindicales, UGT y CNT, es decir, socialistas y comunistas, de un lado, y anarcosindicalistas, del otro. Pronto se evidenció la pugna entre marxistas y anarcosindicalistas. El marxismo era más fuerte. La gran mayoría de nuestros obreros pertenecía a la UGT, pero después de la rebelión la CNT, se vio reforzada numéricamente por la incorporación a sus filas de todos los trabajadores que hasta entonces habían pertenecido a los sindicatos que estuvieron bajo la tutela patronal: católicos, neutros e inclusive fascistas. Tales obreros tachados de «amarillos» y de «lacayos de la burguesía», al obtener a última hora el «carnet» de la CNT, pasaban por un Jordán purificador que les incorporaba a la causa del proletariado. Esta teoría de la «redención», cara a los anarquistas, salvó la vida de muchos. No de todos, desgraciadamente. Los sindicatos marxistas implacables, y sus tribunales sindicales y sus milicias se aplicaban a una terrible tarea de depuración. Cuando se comprobaba, por los ficheros cogidos en los centros de Falange Española, que un obrero había sido militante del fascio, se le sentenciaba a muerte, y la sentencia se cumplía inexorablemente. Franco había fusilado desde el primer momento a todo el que hallaba en posesión de un «carnet» socialista o comunista, imaginando que con este sistemático ejercicio del terror extirparía el marxismo. No pensó, seguramente, que su táctica terrorista era la que estaba más al alcance de la gran masa revolucionaria. De todo el horror de la guerra civil y la revolución esa inhumana depuración del proletariado fue lo que más honda y angustiadamente pudo conmoverme. Contra el traidor a su clase, contra el «esquirol», contra el «amarillo», no había piedad. El proletariado comenzaba por ser duro consigo mismo, aun más que con la burguesía. He visto cómo algún obrero del Consejo que se mostraba inflexible con los compañeros traidores venía después a decirme secretamente que tenía oculto en su propia casa a un sacerdote cuya vida en peligro estaba decidido a salvar por pura humanidad.

LA ILUSIÓN DE LA PROPIEDAD

Poco a poco, el anarcosindicalismo, que se impuso en los primeros momentos por sus procedimientos rápidos y contundentes, fue desplazado. La superioridad numérica de la UGT, y la insobornable pureza revolucionaria de los comunistas anularon en nuestra industria a la CNT y la FAI. La empresa quedó de hecho bajo el control del marxismo.

El Gobierno de la República, que no podía sancionar el hecho revolucionario de las incautaciones, legalizaba nuestra actuación nombrando un delegado del Ministerio de Industria y Comercio encargado de controlar la actuación del Consejo Obrero, que se aceptaba oficialmente no como organismo incautador sino como instrumento encargado de evitar la paralización industrial determinada por la desaparición de los propietarios y gerentes de industrias que se habían marchado al campo fascista o al extranjero. Merced a este arbitrio, nuestro ensayo de colectivización tenía una existencia legal y podía desenvolverse dentro de la constitución democrático-burguesa de la República. Bajo este doble control del Gobierno y de la UGT, nuestro Consejo Obrero abordó a fondo el problema de la colectivización de la industria. Había dos tendencias: una de ellas era la pura socialización; otra, la de que los trabajadores nos constituyésemos en cooperativa de producción independiente y afrontásemos con nuestros recursos o, mejor dicho, con nuestro sacrificio, los riesgos industriales. Esta esperanza de convertirse en accionistas y únicos propietarios de su industria dio a los trabajadores un espíritu de sacrificio admirable. Yo he visto cómo era suprimido en el acto el pago de las horas extraordinarias por exceso de jornada; he presenciado cómo se amortizaba el cincuenta por ciento de las plazas; cómo se declaraban en suspenso todas las reivindicaciones de aumento de salario y cómo los que antes iban a la huelga por lograr la semana de cuarenta horas trabajaban a mis órdenes durante catorce horas diarias sin la menor protesta. Hubiese deseado que la guerra se ganase solo por conocer el final de una experiencia que bajo tan excelente auspicio comenzaba.

Pero la guerra no solo no se ganaba, sino que cada día la teníamos más cerca y más apremiante. La escasez de primeras materias, las dificultades de los transportes y la necesidad de que todo quedase supeditado a la movilización impuesta por el Ministerio de Guerra primero y por la Junta de Defensa de Madrid después, cortaron en flor nuestra experiencia cooperativa. Prácticamente nuestra industria, como todas las industrias editoriales, quedó socializada y en manos del Gobierno, que utilizaba los periódicos como las ametralladoras; armas todas para la lucha.

LA GUERRA DESDE LA REDACCIÓN

DESDE la mesa de la redacción, la guerra se veía con más claridad que desde las trincheras. Todas las tardes llegaban los redactores enviados al frente y contaban la anécdota de la jornada, que era siempre la misma. El heroísmo inútil de los mejores frente al profesionalismo bélico de los oficiales y las tropas coloniales y al lado de la incapacidad para la guerra de las grandes masas indisciplinadas. Los cronistas más veraces reflejaban solo en sus cuartillas el desconcierto, el trasiego de masas, la incongruencia de una guerra para todos incompresible. Los más brillantes cerraban los ojos a la realidad turbia y describían, sistemáticamente, una batalla imaginaria, siempre la misma, cuyo arquetipo está en todos los manuales de historia. De cómo es esta guerra nadie ha acertado a decir nada todavía. Lo que se veía únicamente era el flujo y reflujo de una gigantesca masa humana que iba a estrellarse contra las máquinas de guerra esgrimidas por las tropas de Franco. Los mejores sucumbían; los otros tiraban desesperados e impotentes el fusil, arma inútil en sus manos de trabajadores frente a los aviones y los tanques extranjeros. Una censura de prensa, ininteligente y perniciosa como todas las censuras, mantenía la ficción de una guerra brillante y espectacular. La función de la prensa, contra nuestra voluntad, tenía en manos de los trabajadores los mismos defectos que en manos del capitalismo. No hemos sabido hacer en este periodo revolucionario unos periódicos sinceros y veraces. Algún día nos lo tomarán en cuenta.

BAJO EL FUEGO DE LOS CAÑONES

No hemos podido llegar al final de la experiencia. Los cañones de Franco, emplazados una noche en la Casa de Campo, interrumpieron el trepidar constante de las rotativas. Nuestros talleres fueron alcanzados por los obuses de los facciosos, el Gobierno se trasladó a Valencia y, en tales circunstancias, di por cancelado con los obreros mi compromiso de intelectual liberal al servicio del pueblo. ¿Deploraré siempre que la guerra no nos hubiese dejado llegar al término de nuestra experiencia? ¿Hubiera sido posible la colectivización definitiva de la industria? Sin la amenaza de los cañones, ¿los obreros hubieran sido capaces, por sí solos, de seguir haciendo periódicos? Y al decir periódicos decimos automóviles y casas y tranvías y teléfonos y todo lo que se entiende por instrumento de la vida civilizada.

*EL ASPECTO MARROQUÍ DE LA GUERRA DE ESPAÑA**

5 DE FEBRERO DE 1937

Aquel día el coronel Capaz había tomado posesión del territorio de Ifni, incorporándolo definitivamente a la soberanía española. El enclave de Ifni, sobre el que los españoles mantenían sus derechos desde hace siglos sin decidirse jamás a ocuparlo, se había convertido en el último foco de la rebelión de Aït Bou Amaran contra las columnas del Ejército francés, que operaban entonces en aquella zona y que habían avanzado victoriosamente hasta orillas del Draa, no podían dar por terminada su campaña mientras el territorio de Ifni no estuviera

* La acción alemana en el Sur marroquí.

A partir de 1933 el Sultán Azul jefe de los rebeldes, refugiado en Ifni, hablaba de los alemanes como de los únicos amigos europeos. *(Entradilla del artículo).*

Cuando el Gobierno de la República española, atendiendo la petición del Gobierno francés, decidiǒ, en 1933, ocupar militarmente el enclave de Ifni, un único periodista fue autorizado a acompañar al cuerpo expedicionario: Manuel Chaves Nogales, director del gran periódico de Madrid *Ahora*. El periodista tuvo en Ifni una larga conversación con el célebre Sultán Azul quien, después de haber fomentado la rebelión de 1916 contra Francia, se refugió en el territorio español. Esta entrevista nunca fue publicada, a petición de las autoridades españolas, pero a la luz de los recientes acontecimientos, el señor M. Chaves Nogales se ha decidido a publicar sus impresiones que constituyen un documento único sobre la situación marroquí. *(Nota de la redacción).*

ocupado y controlado. Los jefes rebeldes, vencidos por las tropas coloniales francesas, huían hacia el desierto tal como hizo el célebre Sultán Azul o se refugiaban en territorio de Ifni como el célebre jefe bereber Hamou-Gaga, que nosotros, los primeros españoles que aterrizamos en el aeródromo improvisado de Sidi-Ifni, pudimos ver a nuestra llegada. Huyendo de las columnas francesas que les perseguían se había refugiado con sus hombres en el enclave español y los oficiales españoles recientemente desembarcados le consideraban no como un prisionero sino como un aliado. Recuerdo que llevaba en el costado una enorme metralleta de fabricación alemana, arma muy moderna que los tenientes y capitanes del Ejército español miraban con envidia.

Es cierto que los belicosos hombres de Aït Bou Amaran, que no habían aceptado nunca la dominación extranjera y habían mantenido a lo largo de los siglos su independencia frente al sultán de Marruecos, sin tolerar otra influencia que la puramente espiritual y religiosa del Sultán Azul, aceptaban la ocupación del territorio de Ifni por los españoles porque les consideraban como sus aliados y porque así evitaban que su territorio fuera invadido por las victoriosas columnas francesas.

Esta era la razón por la que el coronel Capaz pudo desembarcar sin otra escolta que un oficial y un marinero. Varios meses antes, el Gobierno de la República española, presidido por Manuel Azaña, había intentado la ocupación pacífica del territorio de acuerdo con Francia, pero sus emisarios fueron asesinados a pedradas en cuanto pusieron el pie en la costa. Más tarde, el avance de las columnas francesas por un lado y por el otro el aviso prudente que se dio a los indígenas sobre lo que políticamente podía significar la presencia de los militares españoles en el enclave, produjeron su efecto.

Al día siguiente al desembarco, el coronel Capaz organizó una columna de ocupación que avanzó hasta el extremo meridional del territorio. A la cabeza de esta columna se encontraban los *caíds* y *amegars* de Cabilia. Siguiendo la expedición como periodista charlé a lo largo del camino con estos bereberes, verdaderos señores feudales que nos acogían como huéspedes y amigos. Uno de ellos, el más culto e inteligente, Chej Saïd «*amegar*» de Aït El Jons, me dio algunas informaciones importantes.

–¿Los europeos nunca llegaron hasta aquí? –le pregunté.

–Nunca se lo permitimos. Algunos judíos han llegado con la intención de traficar, pero los matamos al momento. Hasta ahora solo hemos tolerado en Ifni la presencia de algunos alemanes.

–¿Igualmente traficantes?

Chej Saïd, que sonreía con complacencia y orgulloso de sus buenas relaciones europeas, precisó:

–No. Venían por política, alemanes «*ser*» amigos.

Dos días después de haber recorrido los pueblos de Ifni y de beber docenas de tazas de té en compañía de los jefes más importantes del territorio, se podía comprender claramente el mecanismo político de nuestra pacífica ocupación y estimar en su justo valor la acción previa de aquellos agentes alemanes de quienes los indígenas se sentían tan orgullosos de ser amigos.

Todas las conversaciones que teníamos con los jefes de las tribus y distritos de Ifni tenían el mismo *leit motiv*: ¿España es una nación fuerte? ¿Es más fuerte que Francia? ¿Los españoles son más valerosos que los franceses? ¿Madrid es tan grande como Casablanca? ¿Tienen ustedes cañones como los del Ejército francés?

Era lo único que les interesaba. Encontrar en el Ejército español un aliado contra Francia. Considerar semejantes posibilidades de rivalidad franco-española me parecía pueril y me dediqué a disuadir a mis anfitriones de esta idea en la que se obcecaban.

Me hicieron entender que no convenía hablar con los jefes indígenas con demasiada franqueza. Los militares españoles estaban dispuestos a seguir la vía marcada por los agentes de la propaganda alemana.

No tardé en darme cuenta del doble juego político que implicaba la ocupación de Ifni. Por un lado, el Gobierno de la República española, actuando lealmente hacia Francia, su aliada, asumía la costosa empresa de ocupar y controlar el territorio para cumplir con un deber de seguridad común. Pero por otro lado, los militares españoles encargados por este Gobierno de realizar esta ocupación, se convertirían, por razones de preferencias políticas, en servidores de un interés distinto al de las naciones protectoras, el de los agentes del nacionalismo alemán que luchaba por extender su influencia a las fronteras del Imperio de Marruecos y del Sáhara. Así, hace tres años, empezaba a perfilarse la futura sedición de los militares españoles contra la República. Y entonces empezamos a vislumbrar en Francia y en toda la Europa amenazada por la guerra, los efectos de esta política de los militares españoles que había llevado al desembarco masivo de los contingentes alemanes en Ceuta y en Melilla.

Los moros de Ifni acogían amistosamente a los militares españoles, convencidos que estos militares eran solo el instrumento del avance en el territorio de una fuerza rival de la de Francia, la fuerza alemana. Instalados en Ifni, los españoles podrían echar una mano a los alemanes, quienes en Marruecos constituyen el gran apoyo de todas las esperanzas de rebelión.

Confieso que este cálculo de los moros me pareció venir del maquiavelismo pueril de una mentalidad primitiva. Y sin embargo sus esperanzas tenían una base fuerte: la eficacia positiva de la ayuda alemana a la sublevación de las cabilas del Atlas en 1916, cuando el Sultán Azul, a la cabeza de sus tropas armadas por los alemanes y dirigidas por instructores alemanes, avanzaba triunfalmente hasta Marrakech. Es este precedente, evocado sin cesar por la intensa propaganda alemana alrededor de las tribus, el que mantiene la ilusión de una rebelión posible.

Tuve entonces ocasión de entrevistarme con Merrebbi Rebo, el famoso Sultán Azul, que se había refugiado en el fuerte de Cabo Juby después de haber cruzado el desierto con sus hijos y sus mujeres. Sabemos que el Sultán Azul, que fue uno de los jefes de la rebelión de 1916 contra Francia, guardó hasta hace tres años una gran influencia sobre los tuareg y las cabilas del Sus y del Nun, que le consideraban como su indiscutible jefe religioso. Debe su nombre de Sultán Azul al color del pañuelo que solía llevar alrededor de su cara para protegerse del sol o de la arena del desierto. Esta tela azul, que usan los tuaregs, está hecha de un tejido barato que los comerciales franceses vendían en las tiendas de cosas curiosas y en los negocios del Sáhara. La mala calidad de la anilina empleada para el tinte hace que la cara y las manos de los tuaregs estén empapados de color azul. El Sultán Azul no se lava y conserva este tinte porque piensa que le protege contra los insectos. Si las fábricas francesas empleasen una mejor anilina, el Sultán Azul sería el Sultán Blanco. Habiendo perdido toda influencia sobre las tropas de la cabila, y perseguido por las tropas coloniales francesas, el Sultán Azul soñaba con ver brillar algún día de nuevo su estrella. Y ese día, pensaba él, sería el día en que los nacionalismos europeos, enfrentados entre sí, echarían una mano al nacionalismo musulmán.

El Sultán me exponía uno por uno sus puntos de vista políticos. Los movimientos nacionalistas de Europa despertarían el nacionalismo musulmán y llegaría el momento en que los musulmanes serían llamados a intervenir en las guerras y discordias civiles de los europeos. Ese día, los musulmanes encontrarían de nuevo su independencia, que ganarían en los campos de batalla de Europa. Al dejar de creer en la eficacia del poder religioso que había ejercido hasta ahora, el Sultán Azul pensaba que existía un cimiento más fuerte que el de la religión: el del nacionalismo, y se extasiaba con la obra de los grandes jefes nacionalistas de Europa, Mustafá Kemal, Mussolini y Hitler. Este último sobre todo era objeto de su devoción; era cosa curiosa ver a este marabú del desierto, sin cultura, que no hablaba ninguna lengua europea, que no hablaba siquiera el árabe, sino apenas su idioma bereber, analizar con tanta agudeza la situación política de Europa. La propaganda del nacionalismo alemán en las regiones bereberes ha calado a la perfección a través de sus poderosos medios. Por lo que posteriormente pude juzgar, esta propaganda era llevada a cabo por los alemanes a través de Turquía y utilizando el ideal panislámico; pero, hecho singular, el Sultán Azul, jefe religioso de las tribus del desierto, se sentía más ligado al infiel Hitler que al creyente Ataturk.

Sobre todo esto yo escribí entonces en los periódicos españoles, lo que pensaba, siempre desde un punto de vista puramente español. Sin embargo, no parece que mi discreción haya sido excesiva, ya que el gobernador general del Sáhara, que había autorizado mi entrevista con el Sultán Azul, fue criticado por su ligereza. Los militares españoles estaban ya listos para entrar en la órbita política del nacionalismo alemán, traicionando la política de su Gobierno y sus deberes internacionales.

Durante tres años, Ifni, en manos de oficiales españoles germanófilos, fue el punto de infiltración de los agentes alemanes en el Sáhara y en las fronteras de Marruecos. La guarnición de Ifni, unos de los focos de rebelión del Ejército español ha sido el instrumento más eficiente de esta política que, hoy, lleva a la ocupación alemana de las plazas españolas de Ceuta y Melilla.

Y a las puertas de Madrid, los guerreros de Aït Bou Amaran están conquistando su derecho a la rebelión frente a las naciones protectoras, tal como lo soñó un día el Sultán Azul vencido por los regimientos franceses.

IDEAS Y DOCTRINAS
*LA GUERRA CIVIL ESPAÑOLA SE ACERCA A SU FIN**

27 DE MAYO DE 1937

EL final de la guerra ya ha comenzado. Esto no significa que las hostilidades vayan a parar de un momento a otro. Al contrario, estoy convencido de que en las próximas semanas se producirá un recrudecimiento de la lucha y las batallas serán más encarnizadas y feroces que nunca. Pero la guerra civil en España virtualmente ha acabado. ¿Cómo? ¿Por qué?

Por culpa de la derrota, ya visible, de los dos ejércitos combatientes. Hasta las últimas semanas, cualquiera de estos dos ejércitos podía man-

* Artículo especialmente escrito para *La Dépêche* por el señor Chaves Nogales, que dirigía en Madrid uno de los periódicos más importantes de la capital española: *Ahora*. Los acontecimientos han apartado a nuestro colega de su periódico, de tendencia liberal, y que durante la guerra se ha vuelto socialista revolucionario. En este artículo, el señor Chaves Nogales expone su punto de vista sobre la evolución política de los acontecimientos en la Península. No pretendemos adoptar su mismo parecer. Su opinión incluso está en contradicción con las afirmaciones de los dos campos y con la legítima esperanza del Gobierno republicano de conseguir la victoria total. Pero es tradición y honor para *La Dépêche* acoger en su libre tribuna las opiniones de buena fe, expresadas con talento como es el caso de este artículo. *(Nota de la redacción).*

tener la ilusión de una victoria total. Hoy, ambos están convencidos de la imposibilidad absoluta de aplastar al adversario. Lo que significa que los dos están íntimamente derrotados.

Hay un hecho sintomático que permite afirmar esto: la decisión simultánea en los dos campos de entregar el poder a unos hombres que aun permaneciendo fieles a sus ideologías respectivas, no representan ya –están además muy lejos de hacerlo– la irreductible dualidad que provocó la guerra e hizo que esta guerra pudiera mantenerse durante diez meses, es decir la lucha entre el fascismo y el comunismo, los dos regímenes totalitarios, que para conquistar España, no dudaron en destruirla.

En un mismo momento, en la España roja y en la España blanca, se produjo el mismo fenómeno: los más característicos representantes del fascismo de un lado y los del comunismo del otro, fueron apartados de la dirección política y sustituidos por hombres cuya elección no significa más que la reanudación de la tradicional lucha política entre la izquierda y la derecha, entre liberalismo y conservadurismo, entre monarquía y república, entre socialismo y capitalismo (Frente Popular y Defensa Social, si así puede decirse). La trágica ambición de aplastar al adversario, esta monstruosidad que fue posible en Rusia, Italia y Alemania, fracasó en España. Esta constatación les ha costado a los españoles más de medio millón de muertos. Está bien. El mundo debería mostrarse agradecido.

El fin de la guerra resulta a partir de ahora incuestionable. Su realización material tardará más o menos, pero es inexorable. El primer paso ha sido dado por ambos bandos.

Para la España «blanca», el fracaso del fascismo es una evidencia. Los síntomas de su descomposición no son aún claramente percibidos por el mundo exterior, porque, bajo un régimen de autoridad, como el que apoyan los generales rebeldes, se puede galvanizar un cadáver y hacerle ganar batallas como la leyenda cuenta que hizo El Cid después de muerto. Admitamos incluso que el fascismo español gane todavía alguna que otra horrible batalla. Pero su destino ya es inevitable.

El principio del derrumbe de la Falange es total y definitivo. Últimamente unos hechos incontestables se han producido, probando este hecho. El fracaso del complot elaborado por un grupo muy importante de conocidos falangistas contra el jefe supremo del partido, Manuel Hedilla, las revelaciones hechas por los jefes del complot durante su encarcelamiento –lo que provocó el arresto del «camarada» Hedilla (en la Falange también se emplea este término utilizado por los comunistas)– son los hechos que prueban que la liquidación del fascismo como fuerza política no es para la España «blanca» sino un elemento de perturbación absolutamente idéntico al que la liquidación de los anarquistas plantea desde el otro lado de la barricada…

Mientras esta fuerza revolucionaria fue sostenida y animada por los militares se pudo creer que estas pandillas de gente violenta y ambiciosa que constituían la Falange española pudieran dar un instrumento de gobierno al servicio de la reacción; pero en el momento psicológico –y ese es el síntoma irrefutable que subrayamos– el general Franco se vio obligado a apartar del poder a los falangistas e intenta formar un gabinete mitad civil mitad militar, tarea para la que pide la colaboración de hombres con sentimientos conservadores, enemigos de la demagogia falangista. En resumidas cuentas, la rebelión militar, que había tenido por objetivo único la instauración del fascismo en España está, desde el punto de vista moral, francamente derrotada.

En la España «roja» el fenómeno es idéntico. La campaña llevada contra los anarquistas de Cataluña y la constitución de un Gobierno «moderado» en Valencia son los síntomas de esta evolución cuya importancia no fue medida con exactitud en el mundo entero, pero significa «en potencia» el fin de la guerra.

El Gobierno presidido por el doctor Negrín –pero constituido bajo la inspiración directa del líder socialista moderado Indalecio Prieto, quien al mismo tiempo asumió íntegramente la responsabilidad de la defensa nacional– significa que las organizaciones políticas y sindicales que habían hecho la guerra bajo la bandera de la conquista totalitaria del Estado para la causa de la revolución, están a partir de ahora apartadas del poder. El nuevo Gobierno, hay que decirlo claramente, marca el fracaso definitivo de las ilusiones comunistas en España.

Podríamos pensar que esta afirmación es un tanto atrevida y pueril. «¿Cómo? ¿No hay dos ministros comunistas en el nuevo gabinete?». En efecto hay dos comunistas en el gabinete que preside el doctor Negrín, pero la misión de los dos ministros comunistas del Gobierno de Valencia no tiene otra meta que garantizar la sumisión total del Partido Comunista Español a la república democrática y parlamentaria regida por la Constitución.

Esta sumisión, esta renuncia a la conquista del Estado español, que los líderes comunistas españoles a las órdenes de Moscú proclamaban desde hace mucho tiempo, ha sido considerada universalmente como un nuevo ejemplo de la perfidia y de la hipocresía de la técnica comunista. Todos los reaccionarios del mundo creyeron que cuando el comunismo manifestaba su adhesión a la República española, no tenía otro objetivo que enmascarar su verdadera ambición. Más aún: los mismos jefes comunistas españoles, y más que ellos los «comunicantes» del grupo dirigido por Álvarez del Vayo, Araquistáin, etcétera, habían creído también que Moscú les mandaba interpretar una comedia ante el mundo. Eran los primeros en creer que la «consigna» de Moscú no era sincera y se obstinaban en mantener en España la ilusión de la posibilidad de una revolución comunista total... que por poco hizo fracasar el movimiento de rebelión del pueblo español contra el intento fascista. Cuando el señor Álvarez del Vayo, representando lo más típico de esta tendencia extremista, sostenía ante la Sociedad de las Naciones que la guerra de España planteaba a Europa el trágico dilema «comunismo o fascismo», solo consiguió una cosa: que las potencias vitalmente interesadas en no aceptar esta tesis catastrófica dieran la espalda al pueblo español y lo abandonaran a su suerte en la lucha desesperada emprendida contra los militares rebeldes.

Diez meses de guerra fueron necesarios para demostrar el error de base de esta política desastrosa. En primer lugar se destacó la salida del hombre escogido como portavoz, el viejo Largo Caballero, que durante toda su vida había sido socialista reformista; y que en el último momento se había dejado arrastrar por la ilusión de la conquista totalitaria del Estado, pero que, desde hacía unos meses, se había apartado de la tendencia que habían querido hacerle representar para acercarse a la tendencia que representaba su viejo rival, el líder del «socialismo de derecha», Indalecio Prieto.

Pero no hay nada más probatorio que la postura de Moscú que, tras haber impuesto a los comunistas españoles la consigna de «república democrática» en contra suya, llegó a retirar su confianza al grupo que representaba la tendencia comunista del socialismo español –con excesivo entusiasmo sin duda– y que, al contrario se lo otorga ampliamente a los socialistas «no comunistas» y a los republicanos «burgueses». Y por eso da su apoyo a un gobierno calificado de «derechista», en el que, sin embargo, entraron dos comunistas, sometidos a la disciplina del partido, mientras los socialistas de extrema izquierda están definitivamente excluidos del poder...

Esto es el fin de la guerra.

Si los comunistas españoles, por disciplina, aceptan y sirven lealmente al nuevo Gobierno; si las juventudes socialistas y comunistas unificadas –que son las que han sostenido el peso de la guerra– permanecen en los frentes; si las centrales sindicales admiten la autoridad del Gobierno, de un Gobierno de «partidos políticos» donde no están representadas, la guerra está a punto de acabar.

Por otro lado, en la España «blanca», se intenta simultáneamente un ensayo similar: la renuncia al falangismo.

La posible victoria de esta terrible guerra –una victoria pírrica– será para los españoles que renuncien a todas las ilusiones totalitarias, y será la más rápida y la más auténtica. Ojalá pueda ofrecer al mundo, y sobre todo a la Europa asustada por el espectro de la guerra, el espectáculo de un gobierno fuerte, que garantice indiscutiblemente el orden y la autoridad en el interior y en el exterior, capaz de mantener unas relaciones normales de acuerdo con los demás Estados. Sin comunismo, sin fascismo en España: Moscú parece ya convencido de ello.

MOLA, EL TRAIDOR A SÍ MISMO

14 DE JULIO DE 1937

EL HOMBRE

El general Mola había inventado el hitlerismo ibérico: un judío. Un judío, y como tal, inteligente. ¿De dónde salía? Mola había tenido un acceso fácil a la Academia Militar de España, donde el problema del semitismo no existió antes de que él mismo lo planteara.

Era uno de esos oficiales humildes, laboriosos, que hacen el ingrato trabajo de las guarniciones coloniales, donde los papeles brillantes no existen. Era, por excelencia, el militar de oficio. Salido de la clase media, apartado de los cuadros de oficiales nobles, amigos del Rey, que formaban la camarilla tradicional de aquel. Mola, como tantos otros oficiales que no pertenecían a los círculos aristocráticos y cortesanos, era republicano.

En Marruecos, donde trabajó de un modo arduo, fue siempre sospechoso de antimonarquismo: era demócrata y, lo que es más, tenía un cierto sello de *intelectualismo*, lo que constituye un terrible *handicap* para la carrera de un oficial español.

Mientras tanto, Francisco Franco se había convertido en la figura principal de la monarquía militarista. Las damas de la corte, disfrazadas de enfermeras durante las campañas de Marruecos, se quedaban encandiladas ante ese joven y despejado general.

Se podría decir que Franco y Mola eran respectivamente el Wrangel y el Denikin de España.

La Dictadura de Primo de Rivera sirvió de maravilla a la carrera de Franco, el militar cortesano, mientras que Mola permanecía alejado de los puestos brillantes, limitado a su ruda misión en el Protectorado marroquí, siempre sospechoso de ideas liberales y de falta de lealtad para con la monarquía.

LA TRAICIÓN

Un buen día, el Rey puso en la calle al general Primo de Rivera. El dictador en desgracia tomó el camino de París para morir allí de pena. El Rey buscaba entonces un acuerdo con los partidos de izquierda, tanto tiempo perseguidos por la Dictadura.

Esta evolución hacia la izquierda fue confiada a otro militar, el general Berenguer, cuya reputación en el Ejército no era muy grande, pero que gozaba de cierta influencia en los círculos políticos. Berenguer llamó a Mola. El joven general dejó los trigos marroquíes, fue a Madrid y se instaló en la Dirección General de Seguridad, puesto particularmente delicado en el momento en que se acercaba la Revolución.

Al entrar en funciones, Mola fue amablemente recibido por Alfonso XIII.

El militar obstinadamente democrático fue fácilmente conquistado por la primera sonrisa del monarca. Renunció instantáneamente a sus ideas liberales y a sus sueños de intelectual. Su hora había llegado. A su vez, convertiríase en un personaje importante. Olvidó, pues, todo y sacrificó deliberadamente su pasado a la tarea de aniquilar el movimiento nacional de rebelión contra la monarquía.

Se entregó con encarnizamiento a esa tarea. Hombre duro –se había *templado* en su lucha contra los rifeños– no tuvo repugnancia ante ningún medio de represión contra los obreros desarmados y contra los estudiantes de Madrid, que hizo ametrallar sobre los techos de la Facultad de Medicina. Pero su experiencia colonial no bastaba para hacer de él un Fouché. Fracasó. La monarquía se desplomó. La República fue proclamada el 14 de abril con los gritos de «¡Muera Mola!».

Trágico destino del hombre que siempre había soñado con la caída de la monarquía y que concluía por caer entre sus escombros.

LA REACCIÓN

La República, pues, fue proclamada en España. ¿Pero cuál era exactamente el nuevo régimen? La confusión ideológica que impidió a los españoles responder unánimemente a esta pregunta debía llevar a la guerra civil.

La respuesta, sin embargo, no era complicada.

El nuevo régimen tomaba la forma de una república democrática y parlamentaria, tal como existe en numerosos países del mundo.

El hombre más representativo de ese régimen, Manuel Azaña, era un intelectual liberal, cuyo mayor error fue creer que los problemas planteados a la joven República española eran exactamente del mismo orden que los que había tenido que resolver, durante los últimos sesenta años, la democracia europea más evolucionada: la democracia francesa.

Azaña había estudiado, había seguido todos los combates que la República Francesa había tenido que librar contra la supremacía del poder militar y, en particular, todas las peripecias del asunto Dreyfus. Su libro *Una política militar* es, sin duda, el estudio más completo del difícil y largo proceso de coordinación de un régimen estrictamente democrático –como el de Francia– con la fuerza armada del país. Sus *nuevas bases* del Ejército, sus famosas *reformas* militares de donde salieron todos los motines de generales españoles, no son más que la consecuencia de la aplicación –desgraciadamente inoportuna– de la experiencia francesa.

Mola personifica la reacción contra esta experiencia. Desde el punto de vista personal, su caso no presenta ningún valor. Era simplemente lo que Unamuno llamaba «un resentido». Su libro *Las instituciones militares. Azaña. El porvenir* es una débil y vulgar defensa contra la concepción democrática del Ejército.

La República española, al afrontar el problema militar, debía tropezar con nuevas dificultades, más considerables que las que la República francesa tuvo que vencer en su época. Algunos hechos nuevos se habían producido: el fascismo italiano primero, el hitlerismo alemán más tarde, habían venido a galvanizar el cadáver de los ideales militaristas.

EL IDEAL

Mola, arrastrado en su caída por la monarquía, encuentra en el fascismo el camino de la revancha. No en el fascismo romano, sino en el fascismo berlinés. Su posición espiritual es la misma que la que ha agrupado en torno a Hitler a los militares alemanes. Ellos piensan: «No somos nosotros los que hemos fracasado, sino nuestro jefe». Del mismo modo que los oficiales alemanes han vuelto la espalda al exilado de Doorn que los llevó a la derrota, Mola, y con él la mayor parte de los oficiales españoles que se ven derrotados desde la proclamación de la República, abandonan al Rey en desgracia.

Al comienzo de la campaña de rebelión, el ex-rey Alfonso XIII delegó Burgos a su hijo el infante don Juan, para que se pusiera a la cabeza del movimiento. El general Mola fue personalmente al encuentro del príncipe y lo hizo expulsar del territorio.

Resulta claro que Mola se inspiró, no en el ejemplo italiano, sino en el alemán. Von Faupel, el emisario de Berlín en Burgos, no tardó en convencerse de que el hombre de Hitler en España no era Franco sino Mola. (Por otra parte en el momento de su muerte, los periódicos de Berlín no han ocultado su pensamiento a este respecto.)

El militarismo alemán sedujo a Mola, militar de profesión antes que todo. Es a él que se debe la aplicación de la táctica militar alemana en la guerra civil española.

La destrucción de Guernica y de Durango, perfectas muestras de la táctica prusiana, fueron planeadas por ese hombre. Señalemos, al pasar, que por impresionables y terribles que parezcan esos ensayos realizados sobre la carne de España por un general español, su eficacia ha sido muy relativa.

Hombre de guerra mediocre, político fracasado, traidor a sí mismo, eso fue Mola.

POR QUÉ LA GUERRA DE ESPAÑA NO HA TERMINADO AÚN

1 DE OCTUBRE DE 1937

¿Por qué la guerra de España no ha terminado aún? ¿Por qué los españoles siguen matándose unos a otros tan ferozmente? La respuesta a estas angustiosas preguntas que trastornan el espíritu del mundo entero es terrible. La guerra de España hubiera debido terminar hace varios meses ya. No hay, hoy en día, ninguna razón para que siga.

A partir de ahora, podemos afirmar que el sacrificio del pueblo español será perfectamente inútil y que la prolongación de la guerra española es uno de los casos de ceguera colectiva más monstruoso que la historia ha conocido.

La guerra civil ya no tiene sentido alguno. Esto no quiere decir que tuviera sentido hace un año. El choque de los dos grandes conglomerados ideológicos que se habían formado en España explicaba una guerra civil llevada en unas condiciones muy duras. El choque antagonista de los revolucionarios y de los reaccionarios, la división absoluta de un pueblo en dos grandes núcleos ilusionados por conseguir la conquista totalitaria del Estado, su polarización, por una parte en el fascismo, por otra parte en el comunismo, era ya una causa suficiente de guerra civil no solo en España, sino en todas las naciones occidentales donde semejante choque se hubiera podido producir. Los españoles, luchando por estas dos ilusiones de la humanidad que se llaman Revolución e Imperio, respondían fielmente con ese desprecio a sus vidas y a las de los demás que siempre han manifestado en la defensa de su fe.

Pero ha pasado un año. Durante este tiempo, todos los españoles que se han dejado matar heroicamente por la revolución social o por el imperialismo capitalista, y están en el alba trágica de un segundo año de guerra, constatan, unos y otros, que sus sueños se han desvanecido.

¿Qué queda en España de los ideales que provocaron la guerra civil? El panorama de un inmenso cementerio, de un país en ruinas y de un pueblo cansado que no podrá levantarse hasta dentro de veinte años, veinte años de miseria, sea quien sea el vencedor, y donde los españoles supervivientes tendrán que trabajar como esclavos por un trozo de pan.

Al cabo de un año de guerra, nadie hoy es capaz, en la zona gubernamental como tampoco en la zona rebelde, de apoyar los ideales opuestos, que llevaron el 18 de julio del 36, por una parte, a los militares, apoyados por la burguesía y el capitalismo, a un levantamiento contra la República, y que por otra, precipitaron al pueblo en armas contra estos mismos burgueses y estos mismos capitalistas que se habían sacado de la manga el as del golpe de Estado militar. Ni comunismo ni fascismo. Ni revolución social ni imperialismo capitalista. ¿Queda todavía alguien que dude de ello?

Entonces, ¿por qué los españoles siguen matándose?

Todos, absolutamente todos, en uno y otro campo, hoy están íntimamente convencidos de su fracaso. Saben bien que los términos utilizados para plantear el problema de España eran erróneos, que el trágico dualismo comunismo o fascismo, es prácticamente irresoluble. Para llegar a esta conclusión, hizo falta un año de guerra y medio millón de muertos.

Bien sé que existen todavía españoles, y muchos, que se obstinan en mantener intangibles, como artículos de fe, las bases ideológicas del enfrentamiento y que condenan, como herética, toda propuesta que tienda a modificarlas. Parece que para ellos aún no hay bastantes muertos. Pero a pesar de los que persisten, después de un año de guerra, en querer el asesinato del desdichado que lleva el carnet de un partido marxista o un título de propietario, un emblema revolucionario o un escapulario de la Virgen María, estamos convencidos en general de la imposibilidad material de extirpar radicalmente una y otra fe del corazón de los creyentes.

La guerra se ha prolongado de una manera artificial. Los que la continúan ya han perdido la fe que tenían cuando la empezaron. Franco y su entorno de obispos, generales y capitalistas buscan deshacerse lo más pronto posible del único elemento irreductible que figura todavía entre sus filas: la juventud fascista de la Falange española, y discretamente entregan el mando a unos viejos políticos conservadores que proceden de la monarquía y de la República, con la ayuda de los cuales esperan salir del callejón. Aprovechando la incapacidad política de los militares, estos viejos políticos desvirtúan un poco el movimiento de rebelión y corrompen la ideología fascista que empujó a la revuelta. La demagogia juvenil, admiradora de Mussolini y de Hitler, deja sitio a la sabiduría política de los banqueros, de los políticos y de los diplomáticos de la monarquía, todos clientes del imperio británico y fieles del clásico *torysmo* inglés. Franco lleva hoy las riendas de la Falange española: hace un año la espoleaba. Cuatrocientos falangistas, élite del fascismo español, purgan en las cárceles de Burgos y de Sevilla su fidelidad a la ideología de la revolución. Son ellos los que querrían seguir los «cursos de marxismo» en las plazas españolas, los que sueñan aún con atacar a pedradas los consulados de Inglaterra y de Francia. Pero ya no cuentan.

En el otro lado la situación es similar. El Gobierno de Negrín, que sustituyó al de Largo Caballero, ha renunciado definitivamente a toda ilusión revolucionaria. Lucha por defender la República democrática, parlamentaria y burguesa, apoyado –débilmente, es cierto– por las democracias del mundo entero, y eficazmente, hay que reconocerlo, por el Gobierno de Moscú. Moscú, a pesar de que Europa no lo admita, ha obligado –obligado, insisto– a los comunistas españoles a renunciar a todo intento de régimen soviético en España y, por las conveniencias de su política internacional, los ha encadenado irremisiblemente a la servidumbre del régimen republicano burgués. Es precisamente Moscú quien hoy no tiene el menor interés en establecer un régimen comunista en España. Los comunistas españoles no tuvieron más remedio que reconocerlo con amarga resignación.

Quedan ciertamente los núcleos irreductibles de los anarquistas de la FAI y de los trotskistas del POUM que los guardianes del Gobierno de Valencia van liquidando poco a poco. Los líderes auténticamente revolucionarios han dejado el sitio a los jefes republicanos y socialistas que se arriesgaron, hace un año, a ser fusilados por su oportunismo y su tibieza revolucionaria. Acabamos de asistir a la resurrección de Azaña, Indalecio Prieto, Martínez Barrio.

¿Qué queda pues en ambos lados de las trincheras? Nada que justifique la prolongación indefinida de esta espantosa guerra. Todos los combatientes saben que los ideales por los que tomaron las armas se han desvanecido para siempre. Se perdió la fe: solo queda la liturgia. Seguirán levantando el puño o saludando a la romana, pero todos saben que estos gestos han perdido su sentido primero para convertirse en vagas fórmulas rituales. ¿Por qué seguir luchando sin convicción? En virtud de la proverbial lealtad del español por la causa que ha elegido. Porque los españoles estiman su valor moral aún más que su inteligencia y, aunque sus ideas cambien, consideran humillante y vergonzoso reconocerlo. No debemos olvidar que Castilla es la patria del «sostenella y no enmendalla» (siempre mantener y nunca rectificar).

La guerra sigue, contra toda lógica, por culpa del horror de no revisar los ideales y las convicciones; porque nadie se atreve a afrontar la verdad ignominiosa de la rectificación. La guerra sigue por pura inercia.

A pesar de todo, se habría acabado sin la intervención de las potencias extranjeras que han querido aprovecharse de ella como de un elemento de expansión y de consolidación de sus regímenes interiores. El verdadero problema se plantea en estos términos: ¿Mussolini puede perder la guerra de España? ¿Stalin puede perderla? Esta es la única razón por la que la lucha aún no ha acabado.

Los españoles, abandonados a sí mismos, la hubieran acabado hace tiempo. Pero España padece hoy una doble invasión extranjera. Los españoles de Burgos creen que luchan por la independencia de su país contra la dominación de la URSS. Los españoles de Valencia defienden el territorio nacional contra la invasión de los italianos y de los alemanes. Lo que empezó como guerra civil se prolonga hoy artificialmente por culpa de las intervenciones extranjeras que permiten dar a la lucha interna el significado de una auténtica guerra de independencia.

Si, por unas ventajas de orden interno, los regímenes totalitarios se obstinan en mantenerla indefinidamente, pagarán caro la experiencia que pretenden llevar a cabo en una España herida. Al final, los españoles, rojos y blancos, se unirán contra el extranjero que se haya comprometido más imprudentemente en este juego trágico.

Ya no se lucha en España ni por el fascismo ni por el comunismo. Uno y otro están apartados de las posibilidades hispánicas. Se lucha contra Rusia y contra Italia y Alemania. El día, quizás próximo, en que los españoles puedan percibir claramente de que lado está el peligro más real de invasión, este día la guerra civil habrá terminado.

Entonces empezará una guerra de independencia nacional de cuyo resultado ningún español rojo o blanco puede tener la menor duda.

LA ESPAÑA DE MAÑANA
LOS NACIONALISTAS Y LA INTERVENCIÓN EXTRANJERA

1938

El hecho de que las grandes potencias de Occidente hayan mantenido hasta el final el principio de no intervención en España se debe a su creencia de que la intervención alemana e italiana no se dirige contra la propia España sino contra el Gobierno republicano de tendencias revolucionarias –tendencias con las que ni Inglaterra ni Francia están de acuerdo, aunque las masas trabajadoras de estos países proclaman, tanto en Londres como en París, su unidad de interés con el proletariado de España.

La razón que ha permitido a estas potencias mantenerse abiertamente fieles al tan frecuentemente violado principio de no intervención, se basa en su ilimitada confianza en el pueblo español. Francia e Inglaterra están convencidas de que pase lo que pase y pese a todas las violaciones España mantendrá su independencia y se sacudirá el yugo extranjero. Si hubieran imaginado que los españoles aceptarían pasivamente el sometimiento a un poder extranjero, si no hubieran tenido esta confianza que sirve a la vez al honor y a la pérdida de España, Francia e Inglaterra hace ya tiempo que habrían intervenido. ¿Podemos dudarlo? Ni a Inglaterra ni a Francia les complacería que se instalara el Ejército alemán en los Pirineos o en Marruecos, ni la utilización de las Islas Baleares, las Canarias y Vigo por Italia como bases aéreas y navales. ¿Por qué estas hipótesis parecen improbables?

La gente, pura y sencillamente, confía en los españoles, en su antiguo orgullo e independencia. Piensa que los mismos oficiales de Franco echarían al extranjero de España. Esto es lo que Francia e Inglaterra creen. Y tienen una confianza ciega en ese futuro.

¿Puede un español, un verdadero nacionalista que nunca ha sido un revolucionario, que no es ni fascista ni comunista, estar autorizado a formular un juicio desnudo e imparcial ante la posibilidad de su pueblo de mantener su independencia nacional?

Creo en efecto que si gana Franco España se sometería automáticamente a los poderes que han intervenido. Pero también creo firmemente que la caída del Gobierno republicano sería la señal para una revuelta masiva de la opinión pública española contra los extranjeros. Lo que se dice en estos momentos de rebeliones antiextranjeras en la España nacionalista es pura fantasía. Pero será verdad en cuanto caiga el Gobierno de Barcelona. Los españoles no aguantarían el yugo alemán e italiano como corderos. Aunque el llamado nacionalismo es un mero slogan creado y mantenido por fuerzas extranjeras y coloniales la reacción de la España nacional contra sus aliados de hoy puede llegar a ser muy violenta. Previendo esta posibilidad están ya recurriendo a métodos indirectos y extremadamente discretos para ejercer su protectorado, y Franco, para tranquilizar a los auténticos nacionalistas de sus filas, afirma que, en lo que de él dependa, ni un centímetro del suelo español será entregado a extranjeros. Pero lo que dependa de él será muy poco. Casi nada. En realidad todo dependerá de Hitler y Mussolini por una parte y del pueblo español por la otra.

Para Hitler la aventura española solo puede tener un significado, la construcción que solicitó la plana mayor alemana desde el principio: reproducir al frente franco-ruso, creando en los Pirineos un nuevo pacto contra Francia y establecer así un equilibrio estratégico entre los beligerantes de una futura guerra europea. La rebelión de los generales españoles, fue impulsada con el propósito de realizar este plan. Alemania no está interesada en colonizar España, por eso las actividades de los técnicos alemanes en la Península resultan extremadamente discretas. Todo se hace de modo que el pueblo español apenas pueda darse cuenta de la intervención alemana. Ningún otro aliado sería más generoso, más modesto o más discreto que el alemán. No tiene ambiciones territoriales, no pide nada, lo ofrece todo. Halaga a los españoles, su único deseo es ayudarles, ofrecerles refuerzos, formarlos, defender sus costas y fronteras contra el Peligro Rojo. Sin duda los bravos e indómitos españoles no se mostrarán desagradecidos con el pueblo que los está ayudando a mantener su independencia nacional amenazada por el bolchevismo.

Lo de Italia es otra cuestión. Lo que Mussolini espera encontrar en España es un dictador manejable, un Ras sumiso, una especie de territorio como el de Abisinia pero más rico y cercano, una colonia para miles de italianos sin trabajo. Esto no lo encontrará. El mismo Franco se rebelará un día contra las demandas de Mussolini o más bien, lo que es más probable, caerá ante los golpes de sus propios lugartenientes por haber insistido en satisfacerlas. Los italianos no van a encontrar nada en España.

Para el propio pueblo español la cuestión de la independencia se puede establecer así: los españoles, bajo la suprema jefatura de Franco, no reaccionarían contra una influencia alemana discretamente ejercida, incluso aunque supieran que de hecho eran soldados de Hitler y su misión la de luchar por la victoria alemana en una futura guerra europea. Esta hipótesis, por extraño que parezca, es aceptada por los nacionalistas españoles como fatal e inevitable. Es el precio de la victoria que deben a los alemanes. Y los españoles pagan sus deudas. Las conocidas tendencias germanizantes del Ejército español y la influencia predominante del Ejército en el nuevo Estado constituyen la segura garantía de que España se situará ella misma incondicionalmente al servicio del Reich Alemán.

Por otra parte, los españoles reaccionarán violentamente ante cualquier intento de intervención permanente por parte de Italia. Es posible que, una vez terminada la guerra, varios miles de técnicos alemanes se queden definitivamente en España. Pero podemos estar seguros de que no se quedarán italianos. Italia habrá hecho un pacto menos ventajoso en España que en Abisinia. Esto no significa que desde el punto de vista de su prestigio internacional Italia no haya obtenido una gran victoria ideológica al precio de la sangre de su pueblo y de un aumento de la pobreza. La penetración en España de la doctrina fascista es un nuevo triunfo en las manos de los poderes totalitarios. Pero esto es todo. El fascismo triunfará en España, pero los italianos no obtendrán ni un mendrugo de pan de los españoles.

Sin embargo, los grandes poderes tienen hasta cierto punto razón cuando dicen que España nunca será una colonia. Pero aunque es cierto que los españoles conseguirán frenar las ambiciones de los poderes totalitarios en lo que afecta a la integridad territorial de España y a su régimen interno, es posible que, en lo que afecta a sus asuntos externos, su situación con respecto al resto del mundo sea la de mera tributaria de Alemania e Italia. Puede decirse que desde el mismo día en que caiga el Gobierno de la República los ejércitos alemán e italiano se verán incrementados por el potencial de las fuerzas que España esté en posición de movilizar.

Visto desde este ángulo, la conquista de España es total y definitiva. España dedicará todas sus fuerzas –hasta quedar exhausta– a los objetivos del fascismo internacional, sacrificándose voluntariamente a sus empresas guerreras con su característico entusiasmo por todo aquello que semeja una cruzada. Recuérdese que su tradicional quijotismo la involucró en guerras a lo largo y ancho de Europa hasta agotarse en su lucha en defensa de la Iglesia Católica. El momento actual ve un resurgir de los Tercios de Flandes y un intento de inspirarles una nueva fe y una religión de los tiempos modernos.

El error de las grandes democracias es creer que el nacionalismo español tiene algo que ver con el francés o el inglés. El nacionalista español no es un defensor de su país, sino un cruzado. La raíz de este nacionalismo no es exclusivamente nacional, es internacionalismo militante y bélico, el engarce de la idea de nación a una empresa ecuménica para la cual España se considera elegida. Los servicios de España podrán haber sido requeridos en favor de la causa del comunismo, pero el final será que han sido entregados a la causa del nuevo imperialismo fascista.

Si, al día siguiente de la derrota de la República, Alemania e Italia intentaran colonizar España, si inadvertidamente hirieran ese sentimiento tan fuerte en España de independencia nacional, los invasores tendrían que empezar su campaña de nuevo en sentido inverso, es decir, en esta segunda etapa tendría que luchar contra sus aliados de hoy.

Pero si esta intervención extranjera no tiene el aspecto de una conquista, si los españoles se sienten satisfechos porque su honor ha sido salvaguardado, si Alemania e Italia les dejan lo bastante libres como para pensar que son independientes y soberanos, aunque no fuera ya cierto, si son llevados a creer que el imperialismo fascista no es más que un nuevo imperialismo español, no habrá más fiel vasallo de Alemania e Italia que España. No les ganarán ni los senegaleses ni los cipayos. Imaginemos a los senegaleses y a los cipayos capaces de creer de buena fe que no son simplemente los auxiliares y accidentales defensores de la civilización, sino la encarnación misma de la civilización. Esta es la futura suerte de los españoles: un millón de soldados al servicio de una causa que no es la de España, que nunca lo ha sido y que nunca lo será.

LA GRAN MENTIRA DE LAS ADHESIONES AL FRANQUISMO *

27 DE ENERO DE 1938

UNA artera campaña de propaganda franquista, que utiliza como soporte las convicciones contrarrevolucionarias de los núcleos de intelectuales conservadores y liberales de Francia e Inglaterra, viene, desde algún tiempo, manteniendo el equívoco infame de la adhesión a Franco de prestigiosas personalidades francesas e inglesas. Son, por lo general profesores, artistas, escritores, militares, juristas, etc., a los que, por medio de escamoteos indecorosos y de documentos anfibológicamente redactados, se presenta como identificados con la causa del general Franco y con sus secuaces y aliados.

La mixtificación quedó bien patente en el texto del documento de adhesión a Franco suscrito recientemente por un núcleo de intelectuales franceses. Curiosa adhesión, única en el mundo, en la que los firmantes tenían el pudor de no nombrar ni una sola vez aquello a que se adherían, como si el nombre mismo de Franco les manchase los labios.

De sobra sabían los muñidores de ese documento que no hubiera habido ni un solo intelectual francés e inglés capaz de suscribirlo si

* No hay en toda Europa un solo hombre honrado capaz de suscribir la conducta del general Franco y sus secuaces. *(Entradilla).*

hubiera sido redactado leal y honradamente. La adhesión explícita a Franco, a su política, a sus crímenes (o, como quieran llamarles, sus justicias o sus «ajusticiamentos», si lo prefieren), a sus procedimientos bélicos empleados en su propio país, a sus alianzas internacionales, a su concepto del patriotismo y de la independencia nacional, *no hay ni uno solo* de los firmantes de ese manifiesto equívoco que sea capaz de mantenerla.

Se podría hacer la prueba fácilmente. Desafiamos a los que recolectan estas adhesiones vergonzantes a que recaben una adhesión explícita y terminante. La cosa es fácil.

Los hombres no pueden ser juzgados más que por lo que hacen o por lo que dicen. La acción y el verbo son los únicos elementos de juicio que existen para las empresas humanas y para los hombres que las realizan. ¿Cuáles son las acciones más características del movimiento franquista y cuál es su verbo más caracterizado? ¡A buscarlos y a suscribirlos!

En cuanto al verbo, ¿se atreverían los partidarios de Franco a repudiar como su portavoz más característico, más idóneo, más íntimamente compenetrado con el movimiento franquista al general Queipo de Llano, *speaker* de la rebelión, que desde hace dieciocho meses difunde por Europa el pensamiento franquista desde el micrófono de Radio Sevilla? ¿No lo repudian? ¿No lo desautorizan? ¿Es bueno? ¿Es, efectivamente, el verbo del movimiento? ¿Sí? ¡Pues venga una adhesión de los intelectuales al *speaker* de Radio Sevilla, general Queipo de Llano, verbo indiscutible del franquismo! ¡Venga! Nos basta con que los mismos firmantes del manifiesto de adhesión al franquismo suscriban las declaraciones que cada noche hace, por radio, el general Queipo de Llano. ¡Venga! ¿No? ¿No quieren? ¿Es que Queipo no es realmente el verbo del franquismo? Pues a decirlo, a desautorizarle y a señalar concretamente cuál es el verbo verdadero del movimiento, aquel al que Europa puede mostrar su adhesión sin ruborizarse.

La casuística franquista puede argüir que la adhesión de los intelectuales europeos no es al verbo sino a la acción. Veámoslo. Aquí el caso es más sencillo aún, porque la acción toda del franquismo la personifica única y exclusivamente el caudillo mismo. ¡Franco! ¡Franco! ¡Franco! ¿Cuál ha sido la acción más característica del movimiento franquista en las últimas semanas o los últimos meses, la que más ha impresionado al mundo, la que tendrá una verdadera trascendencia histórica? No vamos a decir que la acción característica del movimiento en los últimos tiempos ha sido la rendición de Teruel o esa espantosa guerra de usura que se viene haciendo a las puertas de la ciudad rendida sin más finalidad que la de enterrar allí a millares y millares de españoles. No. Eso es lo común a todas las guerras, el estrago y la derrota. Lo verdaderamente característico y genuino de la acción franquista es esa aparición en el cielo de Barcelona de media docena de aviones extranjeros de bombardeo que, en cuarenta y nueve segundos, han causado la muerte a centenares de no combatientes, mujeres y niños en su mayoría. Es esta, desde hace, no semanas, meses, la acción más destacada de la guerra de España. La que pasará a los manuales de historia. ¡Pues vamos a suscribirla y rubricarla, señores intelectuales de Europa, adheridos al franquismo! ¡Venga! Bastan dos líneas. «Aceptamos la necesidad del bombardeo de Barcelona del 19 de enero de 1938, acción útil y beneficiosa para la civilización occidental». Y una firma. Eso es todo.

¡Con esto basta para que sea eficaz esa adhesión a Franco, para que se dignifique ese amor infamante *que no se atreve a decir su nombre*! ¡Adelante, servidores de Franco! ¡Pedid a los intelectuales de Europa que sancionen el bombardeo de Barcelona y que suscriban las oraciones del general Queipo, el verbo y la acción franquistas por excelencia!

¡Recabad firmas! ¡Cuando las hayáis obtenido podréis pensar en ganar moralmente la guerra! ¡Adelante! La cosa es sencilla.

¿No decís que el mundo civilizado está al lado vuestro? Pues basta con que sus hombres representativos suscriban, sin eufemismos, sin escamoteos, sin mixtificación ni anfibologías, lo que vuestros jefes hacen y dicen.

¡La firma de una sola persona decente, de un solo hombre honrado al pie de un documento de adhesión a lo que Franco, hace y a lo que Queipo dice, redactado en términos concretos, seria vuestra salvación! ¡A buscarla!

Perderéis el tiempo; encontraréis adhesiones a unas doctrinas que decís representar y apoyo a unas ideologías que gratuitamente os atribuís; pero una adhesión terminante a vuestros crímenes y a vuestra estupidez, no. Los asesinos no son de derechas ni de izquierdas, los cretinos no son blancos ni rojos, la traición a la patria, no hay ambición que la justifique. Y eso, vuestra crueldad, vuestra estupidez inmensa y vuestra traición infame no hay en el mundo quien honradamente se preste a suscribirlas.

Y mientras no lo consigáis, el último de los ciudadanos de Europa podrá deciros a voz en grito que sois unos mixtificadores y que vuestros jefes son unos asesinos, unas malas bestias y unos traidores a la Patria.

IDEAS Y DOCTRINAS
LOS DOS LADOS DE LA BARRICADA

5 Y 6 DE JUNIO DE 1938

LO QUE DESAPARECE Y LO QUE SIGUE EN ESPAÑA

HACE ya dos años que España está en guerra. Y el mundo entero se pregunta por qué esta horrenda guerra no termina de una vez.

Si solo dependiese de los españoles habría terminado hace mucho tiempo. Los españoles, de un lado o de otro de la barricada, saben ya, aun si no lo admiten, que no pueden triunfar de ninguna manera los ideales desmedidos y utópicos de la Revolución y del Imperio, pues el choque provocó la guerra. Ambos igualmente irrealizables y extravagantes en el marco de las realidades actuales de España.

Los españoles lo saben. Pero los extranjeros no. Y son precisamente los extranjeros, interesados en el triunfo definitivo de una de las dos ideologías en lucha, quienes poco a poco sustituyen a los españoles en la barricada.

En esta barricada lo que era auténticamente español está definitivamente vencido o permanece absolutamente invencible. Después de veintidós meses de guerra, todo lo que podía sucumbir en los dos lados ha sucumbido, y lo que subsiste no podrá de ninguna manera ser ya arrancado del suelo de España. Por ejemplo: pueden haber asesinado –o si se prefiere «ejecutado»– a todos los desdichados propietarios de un carné del sindicato marxista o a todos los que llevan un escapulario de la Virgen, pero está fuera de duda que ni el espíritu de clase ni la religiosidad católica pueden ser extirpados de España.

¿Qué han construido los españoles en los dos lados de la barricada?, y ¿qué es lo que queda en pie?

Basta con considerar serenamente las fuerzas enfrentadas y examinar cómo han soportado la dura prueba de la guerra para vislumbrar el porvenir que las armas no pueden decidir.

Por un lado: militares, tradicionalistas, fascistas, católicos, monárquicos y conservadores. Por el otro: comunistas, anarquistas, sindicalistas, socialistas, republicanos y liberales.

Ninguno de los dos grupos pudo aniquilar al otro. Pero se formaron en cada uno, desde la guerra, unas fuerzas que crecen y unos pesos muertos. Si logramos diferenciarlos y sopesarlos exactamente, será posible vislumbrar el porvenir.

I. EN LA ESPAÑA NACIONAL

EXAMINEMOS primero la evolución de las fuerzas que puso en pie la España llamada «Nacional».

El Ejército.– El viejo Ejército de la monarquía, que había perdido su prestigio, y arrastraba tras él la impopularidad de los desastres coloniales de la guerra de Marruecos y las represiones políticas, no se resignaba a morir sin honor. Este Ejército había intentado sin éxito instaurar la Dictadura militar con Primo de Rivera y pensaba así lavar sus culpas en el derrocamiento de la Monarquía. Cuando vio que la República iba a enterrarlo sin gloria gracias a las reformas militares de Azaña, se sublevó y desencadenó la guerra civil con la que coronaba su trágico destino.

De ese Ejército nada quedará. No puede ser el germen de nada. No supo morir en la oscuridad: prefirió ahogarse en sangre.

Los asesinos de la FAI y los comunistas enloquecidos han cometido una masacre espantosa de oficiales retirados. Otros, menos numerosos, han muerto en guerra. Y otros más, los últimos, morirán pronto porque son mayores. El destino se empeñó en sustituir a los jefes que podían servir de intermediarios entre una y otra generación. Muertos los generales Sanjurjo, Mola, Cabanellas, Cavalcanti y algunos de los que empezaron la guerra civil, esta sigue y terminará bajo un signo distinto a aquel con el que la guerra empezó. No hay nada en común entre la guerra que dirige hoy Franco y la que el general Sanjurjo se preparaba a dirigir bajo la bandera republicana.

Pero si el viejo Ejército cavó su tumba provocando la guerra civil, de esta guerra, como de toda guerra, surgió triunfante un nuevo militarismo que no es el soñado por los viejos mandatarios de vuelta de Cuba y de filipinas, sino el militarismo que crea en los dos campos la realidad de la lucha. El antimilitarismo de la República está vencido totalmente: España sea cual sea el desenlace de la guerra, será durante muchos años un país militarista, en que para gobernar, habrá que contar con el Ejército.

Tradicionalismo.– Los antiguos partisanos de Don Carlos, los vencidos de las guerras civiles del siglo XIX, los famosos requetés navarros fueron la única fuerza combatiente verdaderamente popular con la que han podido contar los militares sublevados. El requeté luchó como no supo hacerlo el falangista. Para la aventura de la sublevación militar, el general Mola pidió 5.000 hombres a Navarra; más de 50.000 murieron.

Esta formidable fuerza del tradicionalista ha sido abocada a un sacrificio impío por el triunfo imposible de algo tan odioso a sus ojos como el marxismo o el liberalismo: la deificación del Estado. Estos valientes navarros que se hicieron matar con el grito de «Dios y las leyes antiguas» se habrán sacrificado en definitiva para imponer a España una concepción anticristiana, anticatólica y revolucionaria: el Estado totalitario.

Ellos, que son la supervivencia milagrosa del Estado Imperial español, arruinado por la defensa de la fe romana contra el protestantismo, se encuentran, por una ironía del destino, encadenados a la aventura imperialista de la nueva Reforma preconizada en Alemania por el nacional-socialismo hitleriano.

La extravagante tentativa de soldar una a otra estas dos fuerzas antagonistas, que son el tradicionalismo español y la versión española del fascismo alemán o italiano conducirán a un completo fracaso.

Fascismo.– Los militares, que no sabían qué hacer con el poder político, lo depositaron sin ciertas condiciones en las manos de la Falange española, que no es sino una versión fiel del fascismo italiano, sin ninguna raíz en las realidades de España. El fascismo, en España, ha sido pura y exclusivamente la contrafigura del comunismo. Tan extraño uno como otro a lo que es auténticamente nacional, tan arbitrariamente y artificialmente estimulado uno y otro, solo se conciben en función de su mutua rivalidad, como si fueran una entelequia perfecta, absolutamente extraña a la verdad de España.

La prolongación de la guerra española ha probado que el fascismo español debía ser alimentado desde fuera, no solo mediante armas y doctrina, sino también con hombres. La Falange Española solo tiene una cosa: el ejercicio del poder. Sin embargo, este poder no fue conquistado por los falangistas, sino más bien por los militares que se lo cedieron en usufructo y con condiciones. Lo que les dieron, se lo pueden quitar mañana sin que quede en la historia de España la más mínima huella de la Falange.

Se alega que el comunismo está alimentado desde fuera y que las divisiones italianas están compensadas por las brigadas internacionales. Pero no nos olvidemos que en primer lugar, el comunismo, precisamente por esto, está condenado al fracaso, y que, en segundo lugar, el comunismo puede pedir ayuda a los extranjeros, mientras que una fuerza que se llama nacional no lo puede hacer. Lo que se organiza en España contra el apoyo extranjero de la Falange es precisamente el nacionalismo. Una fuerza que quiere ser nacional y que se titula nacionalista no puede subsistir si pide ayuda a las fuerzas extranjeras. De haber sido la guerra corta, el equívoco se hubiera mantenido. A la larga este equívoco es insostenible.

Religión.– Es la fuerza nacional que más ha sufrido en la guerra de España. Sin embargo, ni los asesinatos de sacerdotes católicos, ni la destrucción sistemática de las iglesias en la zona gubernamental, ni los intentos por parte de la Iglesia de tutelar el Estado totalitario, harán la más mínima mella al catolicismo del pueblo español. A los crímenes que ha padecido y a los crímenes no menos horribles que ella santificó, la religión sobrevivirá: saldrá de la dura prueba más ardiente y más firme. La reciente readmisión de la Compañía de Jesús en la España nacional significa la capitulación del totalitarismo de Estado y la reanudación del culto católico en la España republicana significa la condena oficial de los crímenes del anticlericalismo. De no haber cometido por su lado el clericalismo horrorosos crímenes, el triunfo de la religión sería absoluto.

El catolicismo es la fuerza nacional que no se puede sojuzgar y contra la que se romperá todo régimen totalitario que se pretenda instaurar en España. Estos obispos que levantan los brazos dócilmente durante los grandes desfiles del fascismo, son ellos los que a fin de cuentas lo destruirán.

Monarquía.– La desilusión de las fuerzas puramente monárquicas que ayudaron al levantamiento es total. La posibilidad de una restauración se aleja cada día más. Los militares responsables en su mayor parte de la caída de Alfonso XIII no permiten que se hable de él ni de su hijo, el Infante don Juan. Los tradicionalistas, a la muerte de su pretendiente don Alfonso Carlos se han quedado sin candidato al trono –lo que no impide que se siga murmurando en las granjas de Navarra y del País Vasco: «Nosotros queremos un Rey».

Los príncipes de Borbón-Parma, don Javier y don Cayetano, sobre los que podría recaer la sucesión, no tienen ninguna atadura en el país. Se ha pensado también en la candidatura de Otto de Habsburgo, pero la verdad es que la monarquía no tiene la más mínima posibilidad en España.

Conservadurismo.– Mientras que la aristocracia terrateniente permanecía fiel al principio monárquico, la burguesía industrial, que prudentemente había proclamado el carácter contingente de las formas de gobierno, se había ido acomodando a la República. Pero cuando estalló la sedición militar, esta burguesía renegó de su republicanismo y se apresuró a apoyar al general Franco. Esta burguesía ha sido el apoyo económico del falangismo.

Los financieros e industriales catalanes, republicanos y catalanistas de origen, fueron para el movimiento nacional un apoyo mucho más eficaz que, por ejemplo, los grandes propietarios de Andalucía.

Sin embargo la desconfianza y la animadversión que los militares y los demagogos falangistas experimentan hacia estas fuerzas conservadoras no han sido vencidas con el sometimiento de estas últimas, sino que al contrario crecen y se exaltan cada día más. El conservador español se siente tan cerca del abismo hoy en Burgos como cuando sufría la más turbulenta etapa de la República.

En el otro lado de la barricada están los comunistas, los anarquistas, los socialistas, los republicanos de izquierda y la pequeña burguesía liberal.

Comunismo.– Los comunistas ya han perdido. Son ellos quienes aportaron a la lucha el mayor entusiasmo, el más firme heroísmo, la capacidad de organización y disciplina más elevada. Han dado todo lo que podían dar.

Convencidos de que no podían ganar, han dejado su bandera para enarbolar la de la República democrática. Ahora agitan la de la independencia nacional. Causa perdida. Ni Europa ni España misma permitirán la victoria del comunismo bajo ningún pretexto.

Al lado de los comunistas españoles, que eran poco numerosos, vinieron a luchar a España miles de comunistas extranjeros, los mejores militantes del partido en toda Europa. La historia de las Brigadas Internacionales en España será una de las gestas más impresionantes del mundo moderno. Pero está abocada al fracaso.

La heroica voluntad de estos miles de comunistas del mundo entero no sucumbe solamente ante la más o menos heroica voluntad de la contrarrevolución, sino ante el hecho incontestable de que el pueblo español no era comunista, no quería la instauración del comunismo y no lo hubiera tolerado jamás.

En España no hubo jamás un auténtico peligro comunista. El fascismo, que se vanagloria de haberle cortado el camino, en realidad lo provocó artificialmente. Vano es buscar de quién es la responsabilidad de la primera provocación. Los dos núcleos de perturbación que se crearon en Europa estaban perfectamente definidos cuando vinieron a enfrentarse en España y llevaban el uno contra el otro el mismo impulso agresivo. Lo cierto, indiscutiblemente cierto, es que ni uno ni otro se formaron en España y no hubieran prosperado con elementos puramente españoles.

La última verdad de la guerra civil española (y no es aquí una simple reducción al absurdo como podría creerse) es que un puñado de militares españoles descontentos se lanzaron frívolamente a un pronunciamiento contra el Gobierno republicano. Esto es lo auténticamente español, lo que España aportaba realmente.

Todo lo demás es extranjero, postizo y arbitrario. El juego trágico se prolonga demasiado y, tanto de un lado como del otro, el cansancio es visible. Los españoles, cansados de dejarse matar estúpidamente empiezan a comprender y pronto llegará el momento en que todo será posible en España salvo dos cosas: el comunismo y el fascismo.

Anarquismo.– La anarquía era en España una potencia formidable. Era un sentimiento difuso que lo invadía todo y presidía la vida nacional porque existía tanto en la cabeza de los generales como en la de los bandoleros. El anarquismo difuso domina España durante los primeros meses de la guerra civil. Tanto en el campo republicano como en el campo nacional. Los mismos crímenes fueron cometidos tanto por los anarquistas de la FAI (Federación Anarquista Ibérica) como por los de la Falange. No se puede ignorar que los primeros hombres de mano del falangismo fueron los anarcosindicalistas de las regiones ocupadas por los militares. Algunas de las grandes figuras del anarquismo intentaron convertirse en bárbaros caudillos militares, como Durruti; pero duraron poco. Desde la guerra, el anarquista no es más que un liberal más o menos exaltado, a no ser que se haya vuelto pura y sencillamente uno de estos bandidos que los Guardias de Asalto y los Carabineros del Gobierno Negrín persiguen a escopetazos por las calles de Barcelona. O también, desengañado, ha vuelto a su casa y espera la llegada de las tropas de Franco para hacerse falangista.

Sindicalismo.– La experiencia de la guerra ha sido favorable al sindicalismo. Son los sindicatos los que hicieron posible la resistencia de la República mientras que todos sus otros órganos, incluido el Gobierno, estaban desarticulados y en plena derrota. Los sindicatos han sido la única fuerza que no ha fallado: fueron ellos quienes salvaron Madrid del asalto del Ejército nacional, ellos, que mantuvieron el funcionamiento normal de los servicios públicos y la producción de la industria privada durante la lucha, y que han hecho posible la creación de las industrias de guerra. El sindicalismo ha probado su eficacia como sistema de organización de Estado, pero ha fracasado como instrumento revolucionario. Los sindicatos son capaces de hacer la guerra pero no la revolución.

Socialismo.– La gran fuerza organizada del proletariado español era el socialismo. Ese socialismo reformista de los herederos de Pablo Iglesias, encabezado por el mismo Largo Caballero, había librado batalla contra el comunismo en 1920 y posteriormente había colaborado incluso con la Dictadura militar de Primo de Rivera. Se dejó arrastrar por el comunismo, abandonando así su vía propia, cuando las fuerzas de la derecha se apoderaron de la República democrática. Consternados al ver que ciertas elecciones daban el poder a las derechas, los mismos que derogaban de un plumazo la legislación social que ellos habían elaborado tan difícilmente, los socialistas concluyeron que el régimen democrático no era una garantía suficiente para asegurar el cumplimiento de su ideal y se volvieron hacia el comunismo y hacia la táctica revolucionaria de Moscú. El viejo socialismo reformista no se entregó desde el primer momento. La propaganda comunista solo logró seducir a las juventudes y no habría dividido el bloque sólido del partido si la rebelión militar y la aparición del fascismo no hubieran colocado de repente, no solo a los socialistas sino también a los republicanos y a todos los liberales, en la trágica alternativa de dejarse degollar o adherirse a la táctica revolucionaria de Moscú.

Republicanismo.– El milagro de esta guerra es la vitalidad insospechada del régimen republicano. Esta pobre República democrática, de una consistencia tal que ni los mismos republicanos la tomaban en serio, y que los militares pensaban derrotar de un manotazo, se revelaba, a fin de cuentas, como el régimen más firme y más resistente que España haya conocido. No hay régimen capaz de sobrevivir a una agresión como la que sufrió la República española, y sin embargo aquí está.

Su fuerza es suya: la obtiene exclusivamente del seno de la nación. El comunismo libra batalla al fascismo en tierra de España, pero esas dos fuerzas son extrañas a la realidad española y, en definitiva, tan hostiles una como otra al régimen político y social que España se ha dado a sí misma por la vía del sufragio. No hubo apoyo exterior a la República española. Lo que el comunismo ponía en uno de los lados de la balanza, el fascismo se encargaba de equilibrarlo, y el único socorro verdadero que la República hubiera podido recibir de fuera, el socorro de las grandes democracias, le falló absolutamente. Cuando Mussolini dice que Francia está al otro lado de la barricada sabe que no es cierto. Si las grandes democracias hubiesen estado del lado de la República española, esta habría ganado la guerra en dos meses. Pero las grandes democracias no quisieron dejarse arrastrar a la aventura catastrófica que desencadenaban el comunismo y el fascismo y se quedaron al margen de la lucha.

Liberalismo.– El fenómeno más sintomático de la guerra de España es la supervivencia, o mejor dicho, la resurrección del liberalismo. El 18 de julio de 1936, no quedaba en España un solo liberal. Veintidós meses de guerra bastaron para que las masas españolas que intensamente se embarcaron en la barbarie de los regímenes totalitarios, echen de menos hoy el bien perdido. La cosa está clara, no se logró hacer penetrar en las masas unos ideales con una fuerza suficiente para hacerlos resignarse a la tiranía. Esta parece cuanto más pesada, menos justificada, y como no existe en España como en Rusia, en Alemania o en Italia, justificación del comunismo, del nacional-socialismo o del fascismo, el impulso hacia la libertad no pudo ser contenido. Es posible que España ya no pueda, durante años, permitirse el lujo de vivir en democracia. Pero esta vida democrática va a convertirse en la mayor aspiración de los españoles.

Mientras termina la guerra, declinan en España y parecen condenados a desaparecer, el comunismo, el fascismo, el tradicionalismo, la monarquía y el conservadurismo clásico.

Subsisten sin embargo y manifiestan cada día más vitalidad, primero el nacionalismo y luego el militarismo, el socialismo reformista, el sindicalismo no revolucionario, el catolicismo y (¡oh! revelación insospechada) el liberalismo.

La coexistencia de esas fuerzas y su alineamiento disciplinado en el marco de un Estado parece poco probable, pero mientras que eso no sea posible, no habrá en España verdadera paz.

LA POLÍTICA TOTALITARIA DE FRANCO ¿SERÁ ACEPTADA POR LAS FUERZAS QUE LO APOYAN? *

30 DE JULIO DE 1938

TRAS dos años de guerra, mientras el mundo ve ya cerca el fin del terrible combate y espera que la probable victoria de Franco instaure el régimen de orden, autoridad y paz interior y exterior que todos desean, se produce en España un hecho desconcertante: el jefe del más numeroso grupo de fuerzas conservadoras del país, Don José María Gil Robles, presidente de la C.E.D.A. (Confederación Española de Derechas Autónomas), ha tenido que abandonar precipitadamente la zona ocupada por la España nacionalista, donde su vida corría un inminente peligro.

---

* El autor del siguiente artículo, Don Manuel Chaves Nogales, es uno de los más eminentes periodistas españoles. Redactor jefe del conocido diario *Ahora*, en el que se declaraba independiente y liberal, se había propuesto «dar a conocer al público español el curso de los acontecimientos y explicarlos».

Al principio de la guerra civil, un comité de obreros se apoderó del periódico *Ahora*. Chaves Nogales declaró ante ellos que no creía ni en el comunismo ni en el fascismo. Aunque no simpatizaba con ninguno de los bandos enemigos, gozaba del respeto de ambos. Exiliado desde hace dos años, posee una visión especialmente penetrante del conflicto español.

Manuel Chaves Nogales ha obtenido un gran éxito en Inglaterra con un libro de relatos que lleva por título *A lo lejos una lucecita*. *(Nota de la redacción).*

Bajo la égida de Acción Católica y de su jefe, don Ángel Herrera, Gil Robles ha sido el líder del conservadurismo español en la etapa republicana. En 1934, y estando en el Ministerio de la Guerra, encargó al general Franco que reprimiera el movimiento revolucionario en Asturias, y en 1936, cuando estalló la rebelión militar, se sumó sin reservas al nuevo Estado en cuyo triunfo habían colaborado activamente sus partidarios, y, de manera más particular, las Juventudes de Acción Popular (J.A.P.), que él dirigía personalmente. No obstante, tras reconocer que su política contrarrevolucionaria había fracasado, se alejó discretamente del poder y se instaló en Portugal, desde donde, sin condenar jamás ni los errores ni los excesos del movimiento nacionalista, incitó a los elementos que aún le eran leales a cooperar en la obra de Franco. Regresó a España tan pronto como pudo declarar su adhesión inquebrantable al movimiento, y desde entonces, como ya sucediera en el pasado, no ha dejado de dar pruebas de la sinceridad de su acción contrarrevolucionaria, nacionalista y católica. ¿Cómo se explica pues que este hombre tenga ahora que huir de la España contrarrevolucionaria, nacionalista y católica?

Este y otros acontecimientos no menos significativos de las últimas semanas hacen imposible seguir cerrando los ojos ante la realidad española y creer que el movimiento encabezado por el general Franco es –y no lo es en absoluto– un movimiento nacional, contrarrevolucionario y católico.

El mundo sigue empeñado en esta creencia, aun cuando los hechos la han ido desmintiendo día a día. Y sin embargo, basta una simple recapitulación para mostrar de manera elocuente el auténtico significado de la trayectoria seguida por el «Glorioso movimiento salvador de España».

* * *

Al principio, Franco representaba, efectivamente, la contrarrevolución. El Ejército español se sublevaba contra el Estado republicano, que, traicionando a su vez los verdaderos sentimientos del pueblo español, sus tradiciones y sus virtudes seculares, se dejaba arrastrar por elementos extranjeros a una revolución social funesta para la patria. He aquí el móvil que legitimaba la rebelión militar, el único al que los rebeldes han apelado.

Todas la fuerzas conservadoras del país se pusieron inmediatamente del lado del Ejército. Se organizó una unión sagrada en contra de la revolución. Desde los republicanos radicales de Lerroux hasta los antiguos carlistas, todos se alinearon bajo la bandera del nacionalismo contrarrevolucionario y católico que enarbolaban los militares rebeldes. Tal era el movimiento revolucionario genuinamente español, al frente del cual habría de ponerse el general Sanjurjo. Desde el primer momento se unieron en su apoyo los monárquicos, tanto carlistas como alfonsinos, los republicanos conservadores, la Confederación de Derechas Autónomas de Gil Robles, Acción Católica, los partidos agrarios, las uniones patronales, la Liga regionalista de Cataluña: en definitiva, todas las fuerzas conservadoras de España. Es más, el propio Gobierno de la República se dio cuenta de la fuerza excepcional del movimiento y se mostró dispuesto a negociar con los generales la entrega del poder. Hasta los nacionalistas vascos ofrecieron su colaboración al general Mola.

Pero la preparación y la ejecución del movimiento fueron desastrosas. Quienes lo duden no tienen más que leer el relato que el propio general Queipo de Llano ha hecho de la conquista de Sevilla. La locura puede triunfar una vez, pero fracasa casi siempre, y los desastres más que comprensibles de Madrid, Barcelona, Valencia, San Sebastián, Bilbao, etc., dejaron a la enorme fuerza contrarrevolucionaria española a merced de las masas revolucionarias que, armadas y furiosas, hicieron con ella la espantosa carnicería que todos conocemos.

Los militares sublevados atribuyeron su fracaso no a su torpeza o a su incapacidad política, sino a la falta de espíritu combativo de las clases socialmente conservadoras en cuyo nombre se habían rebelado, y, dándolas de lado, intentaron encontrar apoyo en la única fuerza española que era capaz de seguirles ciegamente en su desesperada empresa. Esta fuerza estaba formada por las Juntas de Ofensiva Nacional Sindicalista, dicho de otro modo, por las unidades de acción directa del fascismo español.

En las ciudades ocupadas, los militares no supieron qué hacer con el poder político del que se vieron investidos y, desconfiando de las fuerzas típicamente conservadoras en cuyo nombre habían actuado, lo pusieron en manos de un fascismo que les ofrecía más garantías de resistencia, que no retrocedía aterrorizado ante la perspectiva de una guerra civil, que estaba dispuesto a emplear todos los medios, incluido el terror sistemático, y que además aseguraba una ayuda extranjera eficaz.

En este momento crítico se inicia el proceso de desnaturalización del movimiento nacional contrarrevolucionario. No se trataba ya de oponer lo nacional a lo antinacional, ni la contrarrevolución a la revolución. De lo que se trataba ahora es de hacer frente a una revolución por medio de otra y de oponer una internacional a otra internacional. Los militares dieron este decisivo paso con excesiva ligereza, probablemente sin tener plena conciencia de lo que hacían.

* * *

El fascismo español –Falange española y JONS– es un movimiento específicamente antinacional. Tan antinacional como su antítesis, el comunismo. Es la violenta y desesperada resistencia de un pequeño grupo de intelectuales contra la irreductible fidelidad del pueblo español a las características de su raza.

La Dictadura del general Primo de Rivera hizo un discreto y desafortunado intento de adaptar las doctrinas del Estado totalitario a la idiosincrasia del español. Su fracaso habría de provocar una reacción antinacional en los doctrinarios del fascismo. El propio hijo del dictador fue uno de los jueces menos benevolentes de su obra, que fue sometida a una revisión implacable. El intento fascista del general había resultado un fracaso no porque el sistema no fuese aplicable en España, sino porque no se había aplicado con el rigor suficiente. Primo de Rivera, el padre, fue víctima de su devoción por *lo español.* Aplicado sin éxito por el viejo general, este fascismo a la española habría de ser suplantado por el fascismo puro, por la obediencia estricta al Estado totalitario que reclamaba Primo de Rivera hijo. *Falange española* equivalía pues a reacción intelectual contra el españolismo.

El sacrificio implacable de las características nacionales en aras del dogmatismo fascista fue la ingrata labor que asumieron los falangistas. La sustracción de lo nacional se llevó a cabo gracias a una superestructura completamente artificial: el *Imperio español.* Con este sueño imperialista se engañaba a las auténticas fuerzas nacionales, que de otro modo se hubieran mantenido leales a un ideal exclusivamente español y no se hubieran lanzado jamás a la desesperada aventura del fascismo.

La docena de doctrinarios que la Falange tenía en cada ciudad y los varios cientos de matones que estaban a su servicio nunca hubieran podido imponerse a la masa enorme de las fuerzas conservadoras si los militares rebeldes –cosa inesperada– no les hubiesen confiado el poder que acababan de conquistar, en lugar de ponerlo en manos de las fuerzas verdaderamente nacionales, en cuyo nombre se habían sublevado.

Dos motivos de peso incitaron a los militares a desvirtuar de este modo el movimiento nacionalista y contrarrevolucionario y a convertirlo de un día para otro en una cruzada internacional y revolucionaria: por una parte, el desparpajo con el que la Falange se lanzaba a la guerra civil (mientras las otras fuerzas conservadoras y nacionales se retiraban temerosamente); por otra, la ayuda exterior que el fascismo aportaba.

En efecto, el 4 de agosto el general Franco pasaba revista en Tetuán a una formación de nuevos bombarderos trimotores Savoia 81, pieza clave que le permitió emprender la reconquista.

* * *

Las clases socialmente conservadoras y las fuerzas auténticamente nacionales se ven obligadas a doblegarse bajo el simbólico yugo impuesto por la *Falange*. Sus hombres más representativos son eliminados si no se exilian discretamente, sus masas son absorbidas por el falangismo.

Con gran eficacia, cuando no con restricción mental, todos colaboran en el triunfo de Franco y de la revolución nacionalsindicalista, desde los prelados, autores de la famosa carta colectiva, hasta los aristócratas monárquicos, los propietarios amenazados, los tradicionalistas engañados y los siempre sospechosos republicanos conservadores.

Por sumisión al Ejército, todas estas fuerzas caminan a remolque de la *Falange* y de su demagogia revolucionaria. Para los militares, sea cual sea su ideología, el falangismo no representa ningún riesgo, pues detenta solo un poder delegado que puede serle retirado en cualquier momento. Un simple decreto del Generalísimo, y la Falange desaparecería sin dejar huella alguna.

La táctica de los militares para neutralizar a la Falange consiste en ahogar en una auténtica marea humana a sus mandos, que soñaban con ocupar los puestos de dirección de la vida española. Corren tiempos en los que todo el mundo es falangista. Oculto entre la multitud, el fascismo español es sometido, acto seguido, a la fusión –lejana a su naturaleza– con una fuerza de mayor eficacia combativa y esencialmente enemiga de sus doctrinas: el tradicionalismo, los famosos requetés.

Con esto hubiera bastado para garantizar a los militares y a los conservadores la inocuidad de la Falange, si la prolongación de la guerra no hubiera obligado a Franco a ir de concesión en concesión hasta ponerse a merced del fascismo español y de su verdadero impulsor, el fascismo italiano. La aviación italiana, por un lado, y los contingentes de tropas enviados por Mussolini, por otro, han convertido una decisión provisional en una realidad definitiva. Puede que el fascismo español no sea más que una mistificación; por su parte, el fascismo italiano no puede permitir que Franco y las fuerzas nacionales alberguen la menor ilusión de independencia.

El *poder real* de la España nacionalista ha pasado a manos de Mussolini. Estamos ante la segunda fase de desnaturalización del movimiento. El nacionalismo contrarrevolucionario, que en un primer momento se transformó en imperialismo revolucionario español, es ahora un simple siervo del imperialismo de Mussolini.

* * *

Hasta aquí habrían llegado las cosas si los militares españoles fuesen capaces de sentir por los italianos la misma consideración y respeto que sienten por los alemanes. Sin embargo, la realidad es otra: el Ejército español, germanófilo entusiasta, no siente, por el contrario, la menor simpatía por Italia. En pro del triunfo de Franco, Mussolini ha hecho importantes sacrificios que no le serán ni agradecidos ni pagados. Y sin embargo Hitler, que no ha suministrado ni un fusil sin exigir un pago previo, puede contar desde ahora con el apoyo incondicional de los militares españoles. A la larga, el poder que ejercen hoy en la España nacionalista algunos cientos de técnicos alemanes será más firme y efectivo que el de las divisiones italianas que, generales al frente, atraviesan triunfantes las tierras de España.

El *poder real*, provisionalmente en manos de Mussolini, pasará a manos de Hitler tan pronto como se presente la ocasión por la sencilla razón de que el fascismo español, en sí mismo, no es nada, solo cuenta con la fuerza que Italia tenga a bien otorgarle; en cambio, la germanofilia del Ejército español es incontestable.

Pero esta segunda fase, en la que el sometimiento a Italia habrá de ser sustituido por una alianza bélica con el militarismo alemán –ilusión acariciada desde 1914 y único objetivo político del Ejército español–, aún no ha concluido. Y en este terreno, las conjeturas son un pasatiempo ilícito.

* * *

En el momento en que la República llega al límite de su resistencia, el problema de España se plantea en estos términos. Las clases conservadoras y el nacionalismo han sido utilizados como trampolín de una maniobra extranjera que pone en peligro la paz en Europa y que lanza a España a una aventura revolucionaria. Al servicio de potencias extranjeras, y a costa de su propio pueblo, el Ejército español se está alzando con una trágica victoria que solo podrá consolidarse inventando una falsa amenaza exterior o proclamando una cruzada internacional que permita seguir tutelando la voluntad del país.

No obstante, frente a este fatal desenlace cabe anticipar algunas reacciones. La más importante de todas es la posible restauración del verdadero sentimiento nacional y contrarrevolucionario que en un primer momento impulsó el movimiento. O, lo que viene a ser lo mismo, la eliminación de la Falange española y de su demagogia revolucionaria y la instauración de un régimen conservador genuinamente español apoyado por las fuerzas tradicionales del país. Otra reacción saludable, que parece hoy en día la más segura y la más inminente, sería la abolición de la alianza con Italia gracias a los buenos oficios de Inglaterra; la presencia de tropas italianas exacerba el sentimiento de independencia nacional de los españoles. Por último, la reacción más beneficiosa de todas sería la renuncia del Ejército a cualquier veleidad guerrera en el exterior, el abandono de esta desesperada cruzada antidemocrática que pretende convertir a los españoles en cipayos del imperialismo alemán. Pero esto equivaldría a pensar que Franco no ha ganado la partida.

*POSIBILIDADES DE GOBIERNO DEL GENERAL FRANCO**

13 DE AGOSTO DE 1938

LA plataforma ideológica del «Glorioso movimiento salvador de España y de la civilización occidental» (este es el tratamiento que se da a sí mismo el Imperio español).

No es fácil explicar lo que los partidarios de Franco entienden por Imperio español. Según las entendederas de quienes lo idearon, se trata de una *voluntad de poder* desesperada, que no corresponde a ninguna realidad concreta. Esta patética elucubración de un grupo de intelectuales nacionalistas, así como su profundo arraigo en el alma española y católica, merecerá ser objeto de un sosegado examen cuando ya no se trate, como hoy es el caso, de explicar su utilización por parte de los

* En un primer artículo, nuestro colaborador Don Manuel Chaves Nogales mostraba hasta qué punto son dispares las fuerzas políticas en las que se apoya el general Franco para dirigir la guerra contra la España republicana: tradicionalistas (antiguos carlistas), aristócratas, monárquicos, intereses financieros, fascistas, etc. Lo único que todos estos grupos tienen en común es su antipatía o su odio por los *rojos*. Pero, ¿seguirá siendo posible esta unión tras la victoria? Bajo la política *totalitaria* del general Franco, los diferentes grupos o facciones no podrán mantenerse unidos. Chaves Nogales nos da la clave: «El *caudillo* intenta resucitar el imperialismo español». *(Nota de la redacción).*

rebeldes en la guerra civil. En realidad, esta pura entelequia del Imperio español solo ha servido hasta el momento para atizar el odio entre los españoles. Revolución e Imperio son dos grandes sistemas ideológicos que se han enfrentado hasta provocar el terror rojo y el terror blanco, es decir, dos fuerzas homicidas contrapuestas que han fomentado la impunidad en uno y otro bando.

Tras dos años de guerra civil, la inanidad de la revolución está más que demostrada. La inanidad del Imperio lo está aún más.

¿Qué es realmente el Imperio español? ¿Cuál puede ser la base real, concreta, de nuestro imperialismo? Esta voluntad de poder, que es lo único que realmente puede aducirse, ¿sobre qué, dónde y cómo se va a ejercer? Para responder de manera adecuada a todas estas preguntas, basta con echar un vistazo a las posibles zonas de expansión de la España imperial en la propia Península ibérica, en África o en Sudamérica.

EL IMPERIO ESPAÑOL Y LA PENÍNSULA

Si las aspiraciones peninsulares del imperialismo español no se limitan a una centralización administrativa que tenga por resultado arrebatar a los catalanes y a los vascos su autonomía –misión demasiado modesta para ser imperial–, en la Península solo quedan dos objetivos verdaderamente imperiales: Gibraltar y Portugal.

Durante las primeras semanas de la revolución, la Falange española inundaba las ciudades ocupadas con octavillas que reclamaban, en términos violentos, la anexión inmediata de Gibraltar a España. El odio a Inglaterra fue la primera manifestación del naciente imperialismo español. Más tarde, los falangistas recapacitaron sobre el asunto, y el Gobierno de Burgos prohibió esta insensata propaganda. De la noche a la mañana, Gibraltar dejó de ser una reivindicación nacional urgente. Los regímenes totalitarios obran milagros de este tipo. Como excusa, los imperialistas dijeron que aunque no era el momento oportuno para formular esta reivindicación, los españoles seguían teniendo clavada en el corazón la espina de Gibraltar. Falso. El irredentismo de Gibraltar nunca ha atormentado a los españoles, y ahora menos aún. Es lógico. Si de lo que se trata es de la ocupación de una parcela del territorio español por una potencia extranjera, Gibraltar tiene menos valor y origina menos motivos de fricción que, por ejemplo, Tharsis o Río Tinto. En tanto que instrumento de dominación del Estrecho, el peñón de Gibraltar no le es a España ni necesario ni útil. La espina de Gibraltar puede estar clavada en el corazón de algún italiano o de algún alemán, pero, desde luego, no en el de un español. Por esta razón, italianos y alemanes nunca han conseguido inocular su anglofobia al pueblo español, que está convencido de que los cañones de Gibraltar, por muy desmesuradas que sean sus ambiciones, no representan para España ni una amenaza ni una humillación.

El otro objetivo peninsular del imperialismo español es Portugal. Pero cualquier intento de hegemonía de España en la Península –por muy hábil y pacífica que fuese la táctica empleada– colisionaría fatalmente con la quisquillosa e irreductible susceptibilidad portuguesa. Baste decir que el apoyo prestado por el Gobierno portugués a los rebeldes españoles tiene su origen no tanto en la solidaridad de un régimen dictatorial para con otro, como en el miedo de ver a la República española dejarse llevar por el ideal de los antiguos republicanos federales que en el siglo pasado soñaron con una confederación democrática de todos los pueblos ibéricos. En realidad, a la República española no le interesaba lo más mínimo Portugal, y el ideal de una Federación ibérica solo lo defendían en España algunos anarquistas iluminados de la FAI –de ahí, el propio nombre de FAI, Federación Anarquista Ibérica.

Pero por muy lejano y absurdo que fuese para Portugal el peligro de las pretensiones imperialistas de los anarquistas de Barcelona, aún más lejano y absurdo es el que puede originar una conspiración militar planeada en Lisboa, protegida por Oliveira Salazar y, en definitiva, inspirada en el ejemplo portugués. Hay que reconocerlo humildemente. Si un régimen totalitario se impone finalmente en España, esto se deberá en gran medida a la innegable protección de Portugal, a su apoyo material y a su impulso espiritual, y no es probable que el recién constituido Estado español reclame en la Península una hegemonía que, en cualquier caso, recaería sobre Portugal y no sobre España, aunque solo fuese por derecho de prioridad en el sistema.

Portugal observa hoy con temerosa perplejidad la incongruente evolución del movimiento contrarrevolucionario español hacia el imperialismo, y si todavía no le ha retirado su aprobación y apoyo, es porque cree que dicho imperialismo no es más que un pretexto para la guerra civil.

El imperialismo español no tiene, pues, ningún objetivo real en la Península ibérica. ¿Y en el extranjero?

EL IMPERIO ESPAÑOL EN ÁFRICA

ÁFRICA es el único lugar en el que las ambiciones imperialistas de España podrían tener algún fundamento.

Pero la acción del Ejército rebelde en el Protectorado marroquí y en las colonias de la costa africana es radicalmente opuesta a lo que debe ser una acción imperial. Los representantes cualificados del Ejército español actúan hoy ante las tribus marroquíes no como funcionarios de un poder imperial, sino como agitadores revolucionarios, como verdaderos agentes de una rebelión del nacionalismo musulmán contra el imperialismo europeo. A ojos del mundo, probablemente sea esta la mayor responsabilidad en la que los militares españoles hayan incurrido.

Los gobiernos españoles, tanto los de la Monarquía como los de la República, habían permanecido fieles a la misión civilizadora europea que España debía cumplir en la zona de su protectorado. Solo el pueblo español sabe cuánta sangre y cuánto oro le ha costado esta misión. La tutela de Marruecos que España comparte con Francia tiene su origen en la necesidad de mantener a los belicosos marroquíes dentro de las leyes de un derecho internacional que, por sí solos, no serán capaces de respetar mientras no hayan alcanzado un mayor nivel cultural.

El nacionalismo musulmán, enemigo de toda forma de imperialismo europeo en África, se opuso desde el principio a esta misión. Sin embargo, es precisamente con el movimiento nacionalista musulmán con el que se han aliado los militares españoles, que pretenden dar a su rebelión un significado imperial y civilizador. Implicar a los marroquíes en las discordias políticas de Europa y predicar la guerra santa contra los regímenes de las potencias protectoras equivale a traicionar la misión civilizadora que nos ha sido encomendada. Hace menos de quince días, Serrano Súñer, ministro del Interior del Gobierno de Burgos y típico demagogo, ha visitado las tribus africanas blandiendo el estandarte del nacionalismo español, unido fraternalmente al nacionalismo marroquí por su común odio a la función protectora de las potencias democráticas. En su discurso de Alcazarquivir, en el que solicitaba la solidaridad de los indígenas, Serrano Súñer afirmaba textualmente que «desde hace un siglo, España es víctima de la dominación francesa» y que el fin primordial del movimiento rebelde es acabar con esta dominación. Para los nacionalistas marroquíes, nada puede ser más conveniente que la ruptura formal de los compromisos internacionales que hasta ahora unían a España y a Francia en Marruecos.

Hay quien cree erróneamente que el apoyo prestado a Franco por los pachás de la zona del Protectorado que reclutan combatientes en su favor es simplemente un acto de sumisión hacia el Ejército de la nación protectora. Y es exactamente lo contrario. El guerrero marroquí no lucha por España, sino contra España. Lo que le lleva a enrolarse bajo la bandera de Franco no es el nacionalismo español, y mucho menos la idea de una España imperial, sino la esperanza de ver triunfar su propio nacionalismo, esperanza que asocia instintivamente a la acción revolucionaria y antieuropea de los rebeldes españoles. Nunca España estuvo tan lejos de cualquier propósito imperial. A los ojos del moro, el oficial del Ejército español no es más que un agitador revolucionario, el instrumento de una campaña de rebelión contra el yugo europeo. Esta campaña no es ni siquiera de origen español; está promovida en todo el Islam por el imperialismo, esta vez verdadero, de la Alemania nacionalsocialista, de la que los oficiales españoles se han convertido en agentes.

El carácter abiertamente subversivo de la acción de los militares españoles salta a los ojos de cualquiera que haya recorrido en los últimos tiempos el territorio español de Marruecos. Personalmente, tuve la ocasión de comprobar sobre el terreno cómo nuestro ejército ha desvirtuado la misión que se le había encomendado en África. Hace cuatro años, tras la ocupación del enclave de Ifni, sobre el que España conservaba sus derechos desde hacía siglos sin haber optado nunca por una ocupación territorial, fui testigo de la falta de fidelidad del Ejército a la misión que la República le había encargado.

Ifni se había convertido en el último refugio de la disidencia de los Aït-Bou-Amaram. Las columnas francesas que a la sazón operaban en este territorio y que habían avanzado victoriosamente hasta las orillas del Draa, no podían dar por finalizada su campaña hasta que el enclave de Ifni no fuese ocupado y controlado. Los belicosos Aït-Bou-Amaram, que nunca se habían sometido a una dominación extranjera, aceptaron que los españoles ocuparan su territorio por la sencilla razón de que los consideraban sus aliados, y porque de este modo evitaban además que la ocupación fuese llevada a cabo por las victoriosas columnas francesas. Eso explica que se pudiera desembarcar en Ifni sin necesidad de disparar una sola bala. Algunos meses antes, el Gobierno de la República presidido por Azaña ya había intentado, con el acuerdo de Francia, ocupar pacíficamente el territorio, pero sus emisarios fueron lapidados nada más desembarcar. Más tarde, las certeras recomendaciones hechas a los indígenas sobre el verdadero significado de la presencia de militares españoles en el enclave de Ifni propiciaron un radical cambio de actitud.

Un día después del desembarco, tuve la ocasión de recorrer los pueblos de Ifni y de conversar con los caídes y los *amegares* del territorio, auténticos señores feudales que nos recibieron como aliados. Nunca un extranjero había pisado estas orillas. O sí: los indígenas se sentían orgullosos de su amistad con algunos agentes alemanes que recorrían frecuentemente las tribus como invitados de los caídes y de los *amegares*. Tras haber tomado una docena de tazas de té con los notables de Ifni resultaba fácil comprender el funcionamiento de nuestra ocupación pacífica y de apreciar en su justa medida la acción previa de los agentes alemanes de cuya amistad los indígenas estaban tan orgullosos. Todas las conversaciones que tuve con los jefes de los pueblos giraban en torno al mismo tema: ¿era España una nación poderosa? ¿Más poderosa que Francia? ¿Son los españoles tan valientes como los franceses? ¿Es Madrid tan grande como Casablanca? ¿Tienen ustedes cañones como los de los franceses?

Lo único que les interesaba era encontrar en el Ejército español un posible aliado contra Francia. No tardé en comprender el doble propósito de la ocupación de Ifni. Por una parte, el Gobierno de la República española se mantenía fiel a Francia, su aliado, asumiendo la costosa empresa de ocupar y controlar el territorio para cumplir un deber de seguridad común. Por otra, sin embargo, los militares españoles designados por el Gobierno para esta misión se convertían, por razones de afinidad política, en ejecutores del proyecto de los agentes del imperialismo germánico, quienes fomentaban el nacionalismo musulmán con el fin de extender su influencia hasta las fronteras del Imperio marroquí y del Sáhara. De este modo empezaba a perfilarse, hace cuatro años, el auténtico sentido de la rebelión de los militares españoles.

Convencidos de que los militares españoles no eran sino el instrumento de penetración de una fuerza contraria a Francia, la fuerza alemana, los bereberes de Ifni los acogieron amistosamente. Instalados en Ifni, los españoles podían ayudar a los alemanes, que a su vez constituyen el principal punto de apoyo de las esperanzas de rebelión en el Islam.

He aquí el triste destino del ilusorio imperialismo español: servir de instrumento al auténtico imperialismo germánico. Con los salvajes guerreros de los Aït-Bou-Amaram, los instructores alemanes han formado el «batallón de tiradores de Ifni» que, desde hace año y medio, lucha en las trincheras de la Ciudad universitaria de Madrid por su derecho a la rebelión y en beneficio de Alemania.

Así ha ejecutado el testamento de Isabel la Católica el hombre que ha osado sentarse en el trono de la insigne reina que construyó la unidad de España.

EL IMPERIO ESPAÑOL EN SUDAMÉRICA

El gigantesco imperio espiritual que, gracias a la lengua y a los lazos de sangre, España habría podido mantener en Sudamérica, no podrá sobrevivir al desmembramiento de la *hispanidad* producido por esta horrible guerra civil. En la guerra ideológica que azota hoy al mundo, los ciudadanos sudamericanos toman partido con la misma pasión que los españoles. Pero dado que los españoles, por desgracia, han invertido todas sus fuerzas en torturar y desvirtuar el verdadero *españolismo* para someterlo a las inamovibles reglas del sistema ideológico al que se han suscrito, es lógico que la devoción de los partidarios sudamericanos se haya dirigido a los hombres y a los países que personifican o que han creado sistemas ideológicos rivales. El ciudadano hispanoamericano pondrá sus ojos en Moscú, Berlín o Roma, pero no reconocerá nunca a Burgos o a Barcelona como su patria espiritual, ni a Franco o a Largo Caballero como su modelo.

Si Franco triunfa, la presencia que se hará sentir en Sudamérica, en África y en España, no será la del ilusorio Imperio español, sino la del verdadero imperialismo de las potencias de régimen totalitario que lo han ideado y apoyado. Un general sudamericano puede tener como ídolo a Mussolini o a Hitler, pero no tiene nada que aprender de Franco, y en su interior probablemente esté convencido de que, para imponer sus ideas políticas, nunca causaría a su país los daños que Franco ha causado a España.

Sí, tras la guerra civil, las repúblicas sudamericanas estarán por desgracia más lejos que nunca de la madre patria, en cuyo suelo democracia y autarquía librarán sus propias batallas bajo la influencia de los Estados Unidos, de Alemania, de Inglaterra, de Francia o de Italia. ¿Y España?

Hay un imperialismo español auténtico e imperecedero que no tiene nada en común con el imperialismo de circunstancias que ha sido decretado en Burgos. El verdadero imperialismo español lo llevarán a América los cientos de millares de españoles que, si Franco triunfa, se verán obligados a emigrar, dejando sus tierras a colonos italianos y sus cargos a funcionarios alemanes. A través del tiempo y del espacio, la naturaleza imperial del español sobrevivirá como ha sobrevivido en las antiguas ciudades americanas, en las que el hispanismo puro de los descendientes de los conquistadores sigue siendo el mayor de los recursos morales.

Por muy grotesco y extravagante que sea este Imperio español que invocan los falangistas, la actitud imperial del español ante el mundo no podrá ser jamás ignorada o negada. Ahora bien, la *voluntad de poder*, con su profunda raíz española y su ansioso deseo de universalidad, única razón de ser de nuestro imperialismo, es hoy más real en la España roja que en la España blanca.

¿Y qué saben de todo esto los españoles que se han convertido en agentes del imperialismo alemán o italiano? Exactamente lo mismo que los agentes de Moscú.

*LA ESPAÑA NACIONALISTA**

I

27 DE AGOSTO DE 1938

APARENTEMENTE, la organización del Estado en la España nacionalista es idéntica a la de cualquier otro Estado totalitario, no hay en ella ningún rasgo original: un jefe investido de un poder personal ilimitado y apoyado por un partido que somete la nación a sus intereses partidarios, frívolamente elevados a la categoría de intereses nacionales. El instrumento de poder y todo el aparato administrativo depende, por una parte, de la omnipotente voluntad del jefe, y por otra, del control del partido. El jefe solo es responsable ante Dios; ante sus contemporáneos queda libre de toda responsabilidad. El Gobierno, en cambio, es responsable no solo ante el jefe, sino también ante el partido o, mejor dicho, ante el Consejo nacional de la Falange, equivalente exacto del Gran Consejo fascista de Roma. Esta es, al menos, la teoría.

Entre estos dos irresponsables poderes, uno de origen providencial –de derecho divino– y otro de naturaleza completamente demagógica, se articula un sistema de gobierno que carece del más mínimo rasgo innovador. Todas las fórmulas utilizadas, por lo general mal traducidas,

* Sistema y hombres.– Política exterior e interior.– El conde de Jordana y el general Martínez Anido. *(Entradilla).*

provienen del extranjero. No hay una sola institución, cargo, función o reglamento que no sea la traducción literal de su equivalente alemán o italiano. Incluso la liturgia del nuevo Estado es enteramente mimética: se saluda a la romana y se traduce toscamente «Heil Hitler!» por «¡Saludo a Franco!», frase que carece de sentido en castellano y que sería más correcto traducir por «Salve Franco».

De arriba a abajo, de los principios fundamentales del régimen al firmes del último *flecha* –léase *balilla*–, en el Estado español se aprecia una clara influencia de los Estados totalitarios que lo han incubado. En dos años, la influencia extranjera se ha impuesto a los rasgos nacionales hasta tal punto que todo lo nacional y autóctono ha sido eliminado, al menos de la terminología y de la nomenclatura oficiales.

Sin embargo, bajo esta superficial dominación extranjera que convierte al Estado español en humilde acólito de los Estados totalitarios que le han precedido, la realidad española permanece intacta. No conviene olvidarlo, pues una revisión demasiado rápida del sistema de gobierno al que está sometida la España nacionalista podría sugerir erróneamente que en la España de Franco no queda nada verdaderamente español. Lo que sí es seguro es que en la España blanca –de igual manera que en la roja– existe, a pesar de la traición de sus dirigentes, un pueblo vivo y dotado de una irreductible cohesión nacional. El aparato gubernamental impuesto por el fascismo es sin duda un aparato ortopédico de procedencia extranjera, pero la nación, prisionera del gobierno, posee tanta vitalidad que acabará por levantarse y romper las cadenas que la mantienen oprimida.

* * *

El general Franco no es solo el Jefe del Estado, sino también Jefe del Gobierno, generalísimo de los ejércitos de tierra, mar y aire, y jefe nacional de la Falange. Además, acaba de ser nombrado capitán general del Ejército y de la marina, suprema y doble dignidad que nadie había recibido en España desde la época de Don Manuel Godoy, el funesto Príncipe de la Paz. Parece ser que el trágico destino de estos capitanes generales por partida doble es el de consagrar y legitimar las invasiones extranjeras.

Franco delega las funciones de Jefe de Gobierno en el vicepresidente del Consejo de ministros, el general conde de Jordana, a quien se ha confiado la cartera de Asuntos exteriores; esto quiere decir que, según descendemos en la jerarquía administrativa, vemos cómo se desvirtúa el sistema (fenómeno que podremos verificar en todos los ámbitos), ya que el general conde de Jordana, aunque haya renegado del ideal político y militar que siempre había representado, no será nunca el hombre llamado a desarrollar en política exterior la obra que el nuevo Estado se ha propuesto. Por tradición familiar y por sus inclinaciones personales, el conde de Jordana es exactamente lo contrario de lo que debería ser el loco artífice de esta desesperada ambición revolucionaria que se ha lanzado a la empresa de destruir la nación, arrogándose el disparatado propósito de reconstruir España sobre una base imperial.

El general conde de Jordana es el hombre menos indicado que hay en España para cumplir esta misión. Si el fascismo fuese realmente capaz de revolucionar algo en España, el conde de Jordana, en lugar de ser puesto al frente del Gobierno, habría sido enviado el primero al paredón, ya que si él, por sí solo, representa algo, es la continuidad de una prudente política exterior, apoyada primero por la Monarquía y después por la República y contra la que se han sublevado con furia Franco y sus megalómanos falangistas.

En política exterior, y más concretamente en lo concerniente al Protectorado marroquí, objetivo primordial de esta política, el conde de Jordana ha dedicado su vida a crear y a defender todo lo que Franco pretende destruir hoy, a saber, la unión de intereses y el acuerdo total entre Francia y España en la resolución de los problemas del protectorado. Pues bien, a pesar de la presencia del conde de Jordana en el Gobierno, es incontestable que la actual política del nuevo Estado español en Marruecos es precisamente la contraria: romper cualquier afinidad de intereses con Francia y reactivar y agravar los problemas del protectorado que hasta el momento se habían resuelto de mutuo acuerdo.

No es de extrañar que, en esta labor, el general Franco haya querido asegurarse la colaboración o, al menos, el consentimiento, de quien, por su pasado, menos sospechas habría de despertar; puede que Jordana sea el hombre menos indicado para esta política, pero es quien puede facilitarla con mayor discreción. No olvidemos que, en esta desesperada aventura del fascismo español, empeñado en doblegar la voluntad y el destino de la nación, se ha puesto en marcha un maquiavelismo sistemático que, por burdo que sea, no deja de ser peligroso. Aunque el bajo nivel intelectual de la política de los Estados totalitarios parezca desdeñable, su acción sobre las masas es innegable.

La disparidad existente entre la persona del Jefe del Gobierno y la política que le ha sido impuesta es igualmente apreciable en los principales departamentos ministeriales. Por ejemplo:

El ministerio del Interior ha sido confiado a Serrano Súñer, hombre representativo de la Falange y típico demagogo. Franco pone en sus manos el ministerio del Interior para que, valiéndose de su cargo, predique de Norte a Sur, de Santiago de Compostela a Alcazarquivir, el Credo de la revolución nacionalsindicalista. Así pues, en la España nacionalista, el ministro del Interior es al mismo tiempo el tribuno de la plebe.

Está muy bien, pero Franco ha tenido la precaución de sustraer previamente a su control las fuerzas del orden público. Mientras Serrano Súñer va proclamando a voz en grito sus ocurrencias revolucionarias por todas partes, las fuerzas conservadoras y reaccionarias del país le escuchan sin escandalizarse demasiado, pues saben que los *guardias* –auténtico sostén del Estado policial que se está creando en España– no le obedecen, no están a sus órdenes ni a las de la Falange española, y tampoco a disposición de la demagogia pseudo-revolucionaria que se está preconizando.

Los guardias están a las órdenes del general Martínez Anido, el servidor más antiguo y leal de los reaccionarios españoles para el que se ha creado un ministerio que concentra todas las fuerzas del orden público, en otro tiempo dependientes del Ministerio del Interior. El general Martínez Anido es, de por sí, el mayor enemigo de la Falange.

En los primeros meses del *movimiento*, y mientras los falangistas se lo pasaban en grande asesinando rojos, el general Martínez Anido, sin duda el hombre más indicado para la represión, fue despectivamente relegado a vagos servicios de beneficencia (director de la lucha antituberculosa y otras funciones análogas) por la sencilla razón de que, como buen reaccionario, nunca habría consentido someterse a la demagogia revolucionaria del falangismo. Pero, como era de prever, llegó el día en que las fuerzas de orden público, verdadero y auténtico *poder real* de la España nacionalista, fueron puestas en sus manos. España permanece fiel a sí misma.

Ese mismo día sucumbieron la Falange española y su tan celebrada revolución nacionalsindicalista. Aunque el apasionado verbo de Serrano Súñer resuene por todo el país, la única realidad existente en la España nacionalista es la de los *guardias*. Estos guardias están a las órdenes de un general de casi ochenta años para el que los demagogos de la Falange, con todas sus doctrinas revolucionarias y sus sueños imperiales, no son más que agentes auxiliares de la contrarrevolución, en la misma medida que los *pistoleros* de los sindicatos libres que él mismo contrató para reprimir el sindicalismo revolucionario cuando era gobernador de Barcelona.

Cuando, después de atravesar el tinglado de instituciones fascistas servilmente imitadas de Italia o de Alemania, llegamos al ministerio de Orden público, a cuyo frente encontramos al general Martínez Anido, tenemos la certeza de estar ante el *poder real* de la España nacionalista. Lo demás es falsa retórica y pura prosopopeya. La verdad de España es esta.

Más difícil resulta precisar la misión de este indiscutible *poder real*, saber por quién trabaja esta fuerza que, sin ser otra cosa que una fuerza de orden público, es hoy por hoy la única con la que se puede contar. ¿Por España? Es posible que el general Martínez Anido así lo crea. El general Franco no, él sabe que no es por España por quien trabaja esta fuerza.

Las potencias que protegen al nuevo Estado español tienen derecho a pensar que es por ellas, por el reciente imperialismo de los países de régimen totalitario –Alemania e Italia–, por quienes trabaja la verdadera fuerza de España. En lo que concierne a Italia, es poco probable que Mussolini mantenga por mucho tiempo sus ilusiones. Las esperanzas italianas en España solo durarán mientras dure la guerra. En cuanto a Alemania, la incógnita es más difícil de despejar.

El alzamiento militar, la guerra civil y el posible triunfo del nuevo Estado solo servirían para favorecer las intenciones imperialistas de Alemania, si algunos obstáculos insalvables no se interpusieran a este propósito, que, por muchas ilusiones que se hagan los filofascistas de Francia e Inglaterra, es precisamente el propósito del general Franco.

Cuando analizamos atentamente el *poder real* de la España nacionalista o, lo que es lo mismo, las fuerzas de orden público, lo primero que observamos es la influencia alemana y la indiscutible actuación de la *Gestapo*. Sin creer a pies juntillas los inverosímiles seriales de la propaganda comunista, podemos afirmar que son los agentes alemanes quienes, con el pretexto de organizar en España una lucha contra la Tercera Internacional, se han hecho con el poder de la policía española. En este sentido, podemos considerar ya a España como una colonia alemana.

Para el general Martínez Anido, la injerencia de los *técnicos* alemanes en la organización policial no deja de ser una colaboración estimable. La táctica del veterano general fue, en su momento, la de utilizar para sus campañas de represión a los agentes alemanes que, desde los tiempos del Príncipe de Ratibor, inundaban la Península. En aquella época, las bandas de *pistoleros* del barón de Koenig, creadas durante la Gran Guerra por la embajada alemana para contrarrestar con medidas terroristas las tendencias aliadófilas del proletariado y de los partidos de izquierda, le proporcionaron a Martínez Anido sus más eficaces agentes de represión. No es de extrañar que el veterano general deposite ahora toda su confianza en los agentes que otrora fueron sus mejores auxiliares.

La gran diferencia reside en que España era por aquel entonces un país que podía elegir libremente su futuro, ya que los agentes alemanes eran utilizados por Martínez Anido; ahora, en cambio, son los agentes alemanes quienes utilizan a Martínez Anido. ¿Se resignará el veterano general a convertirse en un simple funcionario de la *Gestapo*?

El destino de la España nacionalista es fatal. España no podrá liberarse de la germanofilia de Franco y de su camarilla militar si no es gracias a los obstáculos que estamos enumerando. Tal vez el más importante de todos sea el carácter anticristiano, cada vez más acentuado, del Tercer Reich. El catolicismo es probablemente el único sentimiento que puede hacer que los españoles se desvíen de la trayectoria del imperialismo alemán. Si Hitler se enfrenta abiertamente al Vaticano, su estrategia fracasará en España inexorablemente.

Otro de los obstáculos insalvables para la influencia alemana sería la propagación en España de las doctrinas nacionalsocialistas. Si los germanófilos españoles llegaran a conocer exactamente el verdadero sentido del régimen de Hitler, su germanofilia sería mucho menos entusiasta. Es triste que esto lo diga un español, pero la verdad es que solo la ignorancia y la estupidez han perpetuado una predilección que se convertiría en repulsa, e incluso en odio, si los españoles conociesen a fondo lo que es en realidad el nacionalsocialismo al que hoy están sometidos.

Pero la política alemana en España es precavida. Hitler no cometerá el error de imponer el nazismo a los españoles. Yo, por mi parte, puedo decir que hace ya algún tiempo, antes de la guerra, y en respuesta a una pregunta que yo mismo le formulé acerca de la posible influencia del nacionalsocialismo alemán en España, el doctor Goebbels declaró textualmente que el nacionalsocialismo no era un producto de exportación.

No, Alemania no conseguirá la simpatía de los españoles mediante una implantación absurda del nazismo; cabe incluso sospechar que el excesivo celo de los germanófilos españoles en su imitación del Tercer Reich es considerado en Berlín como algo pernicioso. A Alemania le basta con controlar discretamente este *poder real* al que antes aludíamos. La liturgia y todo lo demás solo les interesan a los italianos.

* * *

En resumen; a poco que examinemos la composición del Gobierno de Burgos y que consideremos la personalidad de los ministros encargados de la política interior y exterior, saltan a la vista las numerosas incoherencias y contradicciones de un régimen que pretende ser implantado en España a hierro y fuego. Si nos centramos en otros departamentos ministeriales y en el sistema general de la administración, las incongruencias no son menos flagrantes.

Pero en el funcionamiento del aparato burocrático, hay que tener en cuenta no solo la voluntad de los jefes, sino también la intervención de un segundo elemento fundamental del sistema: el Partido.

Un profundo estudio de este partido que se autodenomina Falange Española Tradicionalista y de las Juntas de Ofensiva Nacional Sindicalista (y que, aunque pretende unificar España, ni siquiera ha conseguido unificar su nombre), nos permitirá entender adecuadamente el régimen que domina en la España nacionalista.

LA ESPAÑA NACIONALISTA[*]

II

10 DE SEPTIEMBRE DE 1938

La *Falange española* es hoy el principal elemento del nuevo Estado español y la única forma de expresión legítima de la voluntad nacional. Todo lo que no se encuentre sometido al simbólico yugo de la Falange debe ser implacablemente combatido y anulado. De la misma forma que la URSS es el partido comunista, Italia el fascismo y Alemania el nacionalsocialismo, España es la Falange y solo la Falange. Tal y como lo exige la pura doctrina totalitaria.

Pero esta doctrina, en cuyo nombre el falangista sacrifica sin piedad a sus compatriotas, ya sean comunistas o capitalistas, republicanos o monárquicos, liberales o conservadores, creyentes o ateos, pierde completamente su carácter totalitario e incluso su capacidad de terror cuando pretende ejercer sobre el Estado la misma coacción que ejerce sobre el ciudadano. Dicho de otro modo, cualquier español no falangista puede y debe ser fusilado en aras de una doctrina a la que el Estado, por su parte, no se encuentra sometido. O en otras palabras: la integración nacional no es una tesis del Estado, sino un instrumento de represión contra el

---

* Partido y Gobierno.– Funcionamiento del régimen.– Falangistas y tradicionalistas. *(Entradilla)*.

pueblo. A fin de cuentas, el partido es solo un arma de guerra más al servicio de un Estado cuyos verdaderos objetivos no son, y están muy lejos de ser, los que persigue, o al menos proclama, el Gobierno revolucionario nacionalsindicalista.

El objetivo principal del nuevo Estado español no es ni revolucionario, ni nacional, ni sindicalista. Su verdadero fin es el de contribuir, tanto en el Mediterráneo como en el norte de África, al triunfo de las aspiraciones imperialistas de las potencias de régimen totalitario que lo protegen. El Gobierno de Burgos lo fía todo a la hegemonía en Europa de las potencias totalitarias, Alemania e Italia, y por esta esperanza es capaz de sacrificar implacablemente lo que sea necesario. El general Franco luchará hasta el final, arrasará hasta el último pueblo español y convertirá a los españoles que queden en cipayos del imperialismo germánico, pues cree ciegamente que el futuro esplendor de España y del Estado español con el que sueña, solo puede edificarse sobre las ruinas de las potencias democráticas. Es decir, Franco apuesta por una guerra europea que cree inevitable y por el triunfo de las potencias totalitarias que lo han arrastrado en su loca aventura. El resto no es más que mistificación.

Entre todas las mistificaciones la mayor y más espantosa fue provocar la revuelta de esas masas *mesocráticas*, incapaces de comprender la verdadera misión histórica del pueblo español, y darles, mediante la doctrina del Estado totalitario, un arma terrible con la que luchar sin piedad, no a favor de España, sino en perjuicio de los españoles y en beneficio exclusivo de algunas potencias europeas a cuya futura hegemonía se ha vinculado el futuro de España.

Si tenemos esto en cuenta, comprenderemos sin dificultad el papel jugado por el partido en el nuevo Estado y podremos medir de manera exacta su influencia sobre el Gobierno.

* * *

Ya hemos señalado que, en el Gobierno de Burgos, los dos principales ministerios, el que se encarga de las relaciones con el extranjero y el que asegura el mantenimiento del orden interno, no solo no fueron entregados a los falangistas, sino que fueron encomendados a dos hombres ajenos a la Falange: el general conde de Jordana y el general Martínez Anido. Pero, ¿qué se ha dejado en realidad en manos de los falangistas?

Los herederos del testamento de José Antonio Primo de Rivera, designados por él mismo horas antes de ser fusilado en Alicante para que tomasen las riendas del movimiento falangista, son Serrano Súñer y Fernández Cuesta. Serrano Súñer recibió la cartera de Interior, pero, como ya hemos apuntado, el control del orden público le ha sido arrebatado. Como digno heredero de Primo de Rivera, Serrano Súñer predica de manera admirable la revolución nacionalsindicalista, única razón de ser del movimiento; sin embargo, su ardor revolucionario es más que discutible. Serrano Súñer es correligionario de Gil Robles y pariente cercano del generalísimo, quien, con juicioso nepotismo, lo ha situado al frente del ministerio del Interior y no por sus cualidades de auténtico revolucionario, sino porque era precisamente el hombre más indicado, por su verbalismo demagógico, para acabar de manera eficaz con el impulso revolucionario de la Falange, si es que este existía realmente.

El otro sucesor testamentario de José Antonio Primo de Rivera, el secretario general del partido, Fernández Cuesta, toma el mando del ministerio de Agricultura, desde el que lleva a cabo una enérgica campaña en favor de la reforestación. Otro de sus objetivos es el de realizar una reforma agraria de tal envergadura que, para hacerla posible, harían falta de cincuenta a cien años. Hasta el momento, se ha promulgado una disposición sobre el trigo que, si no ha acabado con los problemas existentes, al menos ha puesto fin a las arbitrarias medidas decretadas en un primer momento por el general Queipo de Llano. Pero la verdadera revolución campesina es, según se dice, la que llevarán a cabo, mediante la educación política del campesinado, los atrevidos propagandistas de la Falange.

Para que el falangismo pueda imponer su doctrina desde arriba, se ha creado un ministerio llamado de «Organización sindical» al frente del cual se ha puesto a González Bueno, uno de los hombres más representativos de la Falange y cuya misión es posibilitar, a golpe de decreto, la revolución sindicalista. Su labor consiste en llevar a la práctica la doctrina del Estado corporativo, de la que, hasta el momento, Mussolini solo ha conseguido redactar la teoría. Se trata de organizar el país de acuerdo con las bases de los *sindicatos verticales*, espina dorsal del régimen. La misión es difícil, y, a pesar del afán legislador de González Bueno, no es de extrañar que sus innumerables decretos no hayan penetrado todavía en el corazón de la vida económica y social de España, que sigue inalterable.

En el ámbito social, la gran innovación del nuevo Estado es el *Fuero del Trabajo*, meticulosa recopilación de todas las inanidades sociológicas de moda que se basa en afirmaciones tan poco comprometedoras como «la tierra para el que la trabaja» o «el trabajo ennoblece al hombre».

Los ministerios de Agricultura y de Organización sindical, así como el de Industria y el de Comercio, son los únicos que realmente están en manos de verdaderos falangistas. Son suficientes para que los buenos muchachos de la Falange puedan llevar a cabo *su* revolución. O al menos así lo creen las personas *de bien*.

Todos los demás ministerios se encuentran en manos de antiguos políticos monárquicos, de disciplinados militares o de *técnicos* obedientes a sus jefes, y son realmente estos los que, sin ningún prurito revolucionario, gobiernan el país. Como es de prever, todos dicen estar a las órdenes del partido, sin embargo, nunca se ha visto a ninguno de ellos destacar por lo que en la España nacionalista se denomina «el espíritu de la Falange», peculiar espíritu cuyas características son la falta de sentido común, la crueldad y la entrega a todo tipo de concupiscencias, bajo la severa ley de una jerarquía y de una moral semejantes a las practicadas por las gentes de *mala vida*, los grupos de bandidos y las organizaciones terroristas.

Los hombres que Franco ha puesto al frente de los principales departamentos ministeriales no tienen de falangistas más que el nombre; sin embargo sus escrúpulos morales para con esta barbarie no les impiden hacer del falangismo un instrumento de gobierno. De esta forma, al frente del ministerio de Justicia se encuentra un antiguo monárquico tradicionalista, el conde de Rodezno, cuyo sueño es convertirse en Gran Inquisidor de España. Para este hombre, católico ante todo, creyente convencido y ferviente, los falangistas que van sembrando el terror por toda la España nacionalista merecen la misma consideración moral que, en el siglo XVI, merecían los esbirros del Santo Oficio. Bajo su dirección, la justicia española se ha convertido en un Tribunal de Fe que acude de inmediato a las localidades conquistadas para proceder implacablemente a la depuración de los herejes. Tras el Ejército victorioso marchan algunos cientos de estudiantes y licenciados, *clérigos* obedientes y hambrientos, incapaces y fracasados reclutados de entre todas las profesiones liberales que, por el simple hecho de haberse sometido al yugo de la Falange, han merecido ser ascendidos a oficiales del Cuerpo Jurídico Militar al que Franco ha confiado la justicia. Gracias a las denuncias anónimas, a las venganzas personales, a los rencores, a la mala fe y al odio de los que han tenido que sufrir el terror rojo durante los dos años de guerra civil, la Falange española ha creado un monstruoso fichero en el que figuran más de un millón de españoles, la mayor parte de ellos condenados a muerte de antemano. Este código penal que, a modo de artículos, contiene un millón de fichas personales redactadas por los falangistas, es la base de la justicia.

* * *

Todo esto no tendría nada de extraordinario, nada que fuese digno de un rechazo mayor que el que nos produce la justicia de clases o de castas practicada en Moscú o en Berlín, si no fuese porque en el caso de España existe además un desacuerdo total entre los móviles del Estado y los del aparato de represión, o dicho de otro modo, entre el juez y el verdugo. Cuando Hitler entrega un hombre al hacha del verdugo, este hombre conoce al menos la verdadera razón de su sacrificio: la Gran Alemania. Pero las víctimas de la Falange son inmoladas sin que hasta el momento nadie haya podido decir exactamente por qué o para qué. Los falangistas asegurarán que matan en favor del triunfo de la revolución nacionalsindicalista. Por su parte, el ministro de Justicia, que ni acepta ni cree en esta revolución, declarará que condena a muerte para defender la fe católica tradicional. Como si estos dos términos, revolución y tradición, catolicismo y nacionalismo exacerbado (es decir divinizado) no fuesen antitéticos.

La confusión mental de los dirigentes de la España nacionalista les lleva a pensar que el Tribunal de Fe, la Santa Inquisición –que para ellos debe de ser algo digno de respeto– no fue más que un instrumento de represión puesto en marcha por el Estado para sus propios fines y no para los del catolicismo. La identificación de unos y otros, llevada a cabo en la España Imperial del siglo xvi, es, en la España totalitaria actual, una propuesta herética.

La contradicción entre los fines perseguidos es, como podemos observar, constante en todos los niveles de la jerarquía del nuevo Estado. Su origen no es otro que el proyecto de convertir las fuerzas auténticamente nacionales en fuerzas al servicio de una cruzada internacional cuyo objetivo no es precisamente el de rescatar el Santo Sepulcro. Este es el nefasto proyecto del general Franco.

* * *

Para llevar a cabo su proyecto, el generalísimo ha hecho una amalgama de las dos fuerzas sobre las que se apoya el Estado totalitario: la *Falange* y el Tradicionalismo.

Como ya hemos dicho, la Falange española no era más que un movimiento de reacción antinacional inspirado en el *doctrinarismo* alemán o italiano (¿y por qué no ruso?) del Estado totalitario. La *Falange* representaba la revolución, el fascismo, el nacionalsocialismo y la divinidad del Estado.

El Tradicionalismo representaba, por el contrario, la milagrosa pervivencia del imperialismo español del siglo XVI, la fe ciega en la misión providencial de España, espada de la fe. Los tradicionalistas constituían la fuerza reaccionaria y católica más pura de Europa.

Su amalgama con esta fuerza revolucionaria y anticristiana que postula el Estado es monstruosa.

La *Falange* ha crecido desmesuradamente gracias al poder conquistado por los militares. Lo que al principio solo era un grupo insignificante de intelectuales, se ha convertido en la médula del nuevo Estado. Pero mientras los falangistas asesinaban en la retaguardia sin el menor riesgo y practicaban una demagogia suicida, otra fuerza política realmente nacional, los tradicionalistas, se entregaba valientemente, y esto hay que reconocerlo, en una lucha leal sobre el campo de batalla que hacía rememorar sus glorias militares del siglo XIX. Los requetés combatieron en las trincheras contra la revolución como los falangistas nunca fueron capaces de combatir. La *Falange* debía ser finalmente dominada por el tradicionalismo, verdadera fuerza reaccionaria en España.

Pero el fracaso de la Falange habría supuesto la ruina del proyecto del *Caudillo*, que quería que España entrara en la órbita de las potencias totalitarias, a las que lo ha fiado todo y en las que confiaba más que en las fuerzas verdaderamente nacionales. Franco nunca ha creído ni en España, ni en los españoles. Él cree en sus harcas marroquíes, en los italianos, en los alemanes y en la legión extranjera. La superioridad de los tradicionalistas –con la consiguiente disolución de la Falange–, habría supuesto el triunfo rotundo de la contrarrevolución española, pero habría privado al Ejército de la ayuda de las potencias de régimen totalitario, considerada por Franco como indispensable para la victoria de la guerra civil y para la creación de su ilusorio Imperio español.

Existen en la España nacionalista auténticos nacionalistas que piensan que el triunfo de la contrarrevolución habría sido más fácil con la utilización de fuerzas exclusivamente nacionales que con la internacionalización del conflicto. Si el movimiento –afirman– hubiese sido exclusivamente nacional, es evidente que no habríamos contado con los medios de guerra que Alemania e Italia nos han proporcionado, pero tampoco los rojos habrían obtenido ningún tipo de ayuda. Francia e Inglaterra habrían conseguido que el Comité de no-intervención fuese un instrumento realmente eficaz y capaz de neutralizar la ayuda de Rusia.

Si la primera condición impuesta al bando nacional hubiese sido la de una estricta limitación de movimiento, es seguro que ni Hitler ni Mussolini habrían movido un dedo para apoyar la contrarrevolución española. Así las cosas, para devolver a las potencias totalitarias el favor que estas pedían como recompensa, el general Franco ha tenido que desvirtuar el movimiento contrarrevolucionario español, apoyar artificialmente al falangismo y desviar el tradicionalismo de su órbita nacional y católica.

Así, y gracias a esta doble mistificación, fue creado el partido único denominado «Falange Española tradicionalista y de las Juntas de Ofensiva Nacional Sindicalista», base actual del Estado totalitario. Esta unificación, hecha por decreto, quizás sea posible en las altas esferas del régimen, pero no en las clases populares del movimiento. El falangista y el tradicionalista permanecen irreductibles, cada uno defiende sus principios doctrinales. Uno es revolucionario, y el otro reaccionario; uno nacionalista, y el otro católico.

Este antagonismo se habría resuelto de manera favorable a la hegemonía de los tradicionalistas, que son los que mejor combaten y los que defienden las posiciones nacionales más firmes, si no fuese porque en realidad ninguna de las dos facciones cuenta con la fuerza suficiente para imponerse a la masa del país y porque tanto una como la otra deben, lo quieran o no, someterse al arbitraje del Ejército, es decir, de Franco, quien, traicionando a ambas por falta de confianza en ellas, se pone en manos de las potencias extranjeras interesadas en utilizar la terrible crisis española como punto de apoyo de sus ambiciones mediterráneas y norteafricanas.

* * *

Cuando el Gobierno de Barcelona denuncia ingenuamente que italianos y alemanes se están instalando en el territorio español, el general Franco sonríe y promete solemnemente que nunca aceptará la más mínima hipoteca del territorio de España, de su actividad económica, de sus colonias ni de sus protectorados. Claro que no lo aceptará. ¡Nadie le ha pedido nada semejante! No se trata de mutilar territorialmente España, ni de atentar contra su economía, ni de privarla de sus colonias y protectorados. Todo lo contrario, de lo que se trata es de que España sea fuerte, grande y rica. Cuanto más lo sea, más eficazmente podrá seguir el destino que el *Caudillo* quiere imponerle. Y este destino no es otro que el de entregarse por completo a la aventura imperialista de los países de régimen totalitario que sueñan con la hegemonía de Europa y del Mundo.

Lo que se ha hipotecado con Alemania e Italia no son algunas minas o algunas islas. Esto habría sido un negocio ruinoso. Es el futuro de todo un pueblo que pronto se verá obligado a luchar contra sus aliados naturales. Ésa es la única razón de ser de la obra de Franco.

Y AHORA, ESPAÑA

29 DE OCTUBRE DE 1938

TRAS el acuerdo de Múnich, las grandes potencias se encuentran con el problema de España, abierta herida de Europa que hay que cerrar lo antes posible. ¿Cómo? El problema español se plantea ahora en los siguientes términos:

Desbordado simultáneamente por un alzamiento militar que le privaba de sus instrumentos de represión y por una revolución proletaria en cuyo seno se encontraban las únicas fuerzas capaces de contrarrestar eficazmente la rebelión de los militares, el Gobierno de la República ha resistido durante más de dos años una espantosa guerra civil sin sucumbir ni ante el asalto de los rebeldes, ni ante el estallido de la revolución. Batiéndose en constante retirada durante estos dos años, la República tuvo que ceder la mayor parte del territorio nacional a los militares sublevados y a las tropas extranjeras que los apoyaban; además se vio obligada a pactar con las fuerzas de la revolución internacional que enviaban en su ayuda brigadas de voluntarios extranjeros. Fascismo y comunismo han librado sobre el suelo español una terrible batalla, sin que ninguno de los dos sistemas ideológicos enfrentados –ambos en igual medida ajenos al verdadero sentir del pueblo español– haya podido asegurarse un triunfo definitivo. No ha sido suficiente un millón de muertos para imponer al pueblo español la supremacía de ninguno de los dos sistemas. ¿Qué hacer para acabar de una vez por todas con esta estéril guerra? ¿Anular a uno de los combatientes para dar al otro una victoria con la que, por sí mismo, nunca se hubiese alzado? ¿Colocar todo el peso de Europa en uno de los platos de la balanza?

FRANCO SIGNIFICA LA GUERRA

ANTE la dirección tomada por la política europea tras el acuerdo de Múnich, esta parece ser la conclusión fatal de los acontecimientos. Se le va a entregar a Franco la victoria sobre el pueblo español, una victoria que ni sus tropas ni sus aliados extranjeros han sabido obtener. Este cruel sacrificio de la República española ha sido presentado como un nuevo holocausto en aras de la paz europea. Pero, ¿se sabe a ciencia cierta lo que significa el triunfo de Franco?

Franco significa la guerra y solo la guerra: hoy, la guerra civil; mañana, la guerra europea. Su poder, que no tiene la menor raigambre en el terruño nacional español, es un mero instrumento del reciente imperialismo de las fuerzas totalitarias que lo han creado. Sin Italia y Alemania, Franco habría sido barrido del suelo español en pocas semanas, sin necesidad de tanques rusos ni de brigadas internacionales. Este arbitrario gobierno de un militar sedicioso, instalado en el Mediterráneo y en el norte de África, no es más que una maniobra estratégica mediante la cual el Estado mayor alemán pretende contrarrestar la acción de Francia en el centro de Europa.

No, contribuir al éxito de Franco no es trabajar por la paz, sino por la guerra. Empeñados en cerrar los ojos ante la realidad, hay quienes siguen alegando que cuando la guerra europea parecía inminente, los emisarios de la España nacionalista se apresuraron a proclamar la neutralidad de España en la conflagración que se avecinaba. Cierto, pero los que partieron de Burgos para proclamar que la España nacionalista permanecería neutral no eran precisamente emisarios directos de Franco; eran representantes de las clases conservadoras españolas que se han dejado arrastrar a regañadientes en la loca aventura del *Caudillo* por temor a la amenaza roja y que no dudarán en abandonarle en el momento crítico.

BURGOS EN LA VÍSPERA DEL ACUERDO DE MÚNICH

COMO no podía ser de otro modo, el general Franco sacó partido de la neutralidad oficial. Cualquier movimiento en falso por su parte habría llevado a las potencias democráticas a neutralizar su poder destructor.

La *buena voluntad* del general Franco no va más allá de una simple maniobra estratégica.

Por último, lo que la inminencia de la guerra ha demostrado es simplemente la falta de cohesión entre las fuerzas nacionales que Franco tiene bajo su yugo, y la repugnancia de estas a dejarse arrastrar en la aventura imperialista de los Estados totalitarios. Según parece, hasta el propio Hitler se ha sentido desengañado.

Cuando los elementos conservadores de Francia e Inglaterra sostienen que, en caso de una conflagración general, la España nacionalista sería un enemigo menos a combatir, tienen en cierto modo razones para hacerlo. Es posible que España se abstuviese de abrir en los Pirineos un frente contrario a Francia, pero esto no sería por voluntad de Franco, sino, por el contrario, contra su voluntad. La única misión de este último, su única razón de ser diríamos, es precisamente la de lanzar a España a la lucha contra las potencias democráticas en cuyo detrimento pretende reconstruir, en un futuro, este absurdo Imperio español que por el momento no ha hecho más que cobrarse vidas humanas.

Frente a este Estado artificial apoyado por las tropas italianas, por el material de guerra y por los técnicos alemanes, y que no podrá triunfar definitivamente si las grandes potencias no le regalan la victoria, subsiste la República española, que se ha librado de la agresión fascista gracias al material de guerra de la URSS y a los millares de revolucionarios reclutados en el mundo entero por la Internacional comunista, y que, tras dos años de guerra, ha obrado el milagro de permanecer fiel a sus profundas raíces españolas, de olvidarse de sus esperanzas revolucionarias y de rechazar incluso la ayuda extranjera con la esperanza de convertir a España en una zona protegida de la revolución mundial. ¿Cómo explicar si no la completa retirada de los combatientes extranjeros decretada por el Gobierno Negrín? ¿Acaso puede Franco hacer lo mismo con los combatientes alemanes e italianos? ¿Por qué la retirada de los soldados italianos está siendo dosificada tan cicateramente?

LA RESURRECCIÓN DE UN NACIONALISMO REPUBLICANO

Desbordada al principio de la guerra por las fuerzas revolucionarias, la República española se ha recuperado poco a poco, de manera lenta y dolorosa, en el crisol de la lucha civil. En España, de la fe revolucionaria ya no queda más que la liturgia. Cuando podamos revisar sosegadamente la evolución de las ideas que se ha producido a lo largo de estos dos años en la España republicana, cuando al fin sea posible estudiar paso a paso el proceso de la revolución española, descubriremos hechos desconcertantes, y el menos sorprendente no será el de la resurrección del nacionalismo, que es hoy –lo podemos asegurar sin ninguna reserva– un sentimiento mucho más fuerte y auténtico en la España republicana que en la España que se autodenomina nacionalista.

Si realmente tiene una voluntad pacificadora, el acuerdo de Múnich no debe aspirar a otra cosa que a circunscribir la ambición imperialista de las potencias totalitarias y a delimitar de manera exacta y definitiva sus aspiraciones europeas. La única idea que guíe a Chamberlain ha de ser la de conseguir, gracias al pacto de los cuatro, un equilibrio europeo que permita eliminar en el acto los pretextos de conflagración que aparezcan en el futuro. Pues bien, la creación de un Estado totalitario en el Mediterráneo y en el norte de África, feudatario de Italia y de Alemania, no sería sino una constante amenaza para la paz en Europa.

LA INTERVENCIÓN GERMANO-ITALIANA

FAVORECER el triunfo de Franco y asfixiar a la República española es provocar una nueva amenaza de guerra. Es erigir, en un punto en el que se cruzan todos los caminos del mundo, un Estado típicamente guerrero, beligerante por naturaleza, basado en un régimen dictatorial detestado por el pueblo y que solo podrá sostenerse mediante la unión nacional frente a un peligro exterior que habrá que inventarse a toda costa. Y este peligro exterior que Franco necesita inventar a toda costa para asegurarse la obediencia del pueblo español no será otro que la enemistad de las potencias democráticas; este es el verdadero sentido de la cruzada antidemocrática que Franco proclama por cuenta de Alemania e Italia.

Dar a Franco una victoria que él no ha sabido lograr sería, aparte de cualquier consideración sentimental, un trágico error político.

Si el acuerdo de Múnich puede permitir la acción de las grandes potencias en España, esta acción debe limitarse a hacer posible la no intervención, hasta el momento destinada al fracaso. Conseguir la total retirada de italianos y alemanes, tras una retirada unilateral de las brigadas internacionales por parte de la República; conseguir, en definitiva, que Mussolini y Hitler renuncien a su aventura española y dejar a los españoles arreglarse entre ellos; eso es, en términos concretos, lo que el Dr. Negrín ha pedido.

LA RETIRADA DE LOS VOLUNTARIOS

Lo que se prepara es, por el contrario, una nueva mistificación. La retirada *sustancial* de diez mil italianos con más de dieciocho meses de campaña o, dicho de otro modo, la evacuación obligada de una tropa cansada e inútil, es el mezquino precio con el que se pretende comprar la complicidad de Francia y de Inglaterra en el asesinato de la República española.

Las tropas que ahora se retiran no han sido nunca el verdadero motor de la intervención italiana en España. La verdadera fuerza italiana fue la aviación, y esta, que es el único apoyo de Franco, no se ha retirado. Fue la aviación italiana la que impidió la derrota de los militares sublevados en un momento en el que el propio general Mola, creyéndose vencido, se disponía a huir al extranjero. Si alguien se obstina en poner en duda la eficacia de la aviación enviada por Mussolini a España, le bastará con leer las páginas de una publicación oficiosa italiana –la obra de Guido Mattioli: *L'Aviazione legionaria in Spagna*– en la que se demuestra claramente que sin la aviación italiana el general Franco no habría podido resistir ni dos semanas.

Se mantiene pues en España la aviación que permitió a Franco llegar hasta las puertas de Madrid y se retira la infantería que ni siquiera le permitió pasar de Guadalajara. Esta retirada, que no afecta para nada a la eficacia de la intervención, y que es incluso beneficiosa, pues rectifica un evidente error del fascismo italiano, es presentada como «la última concesión unilateral» hecha por Mussolini para la paz en Europa. Lo que significa que la entrada en vigor del pacto anglo-italiano y la futura resolución de un acuerdo sobre el Mediterráneo estarán siempre subordinadas a la influencia de Italia y a la previa aceptación de la victoria, temerariamente hipotética, de Franco.

CONTRA LA HEGEMONÍA DE LAS POTENCIAS TOTALITARIAS

ACEPTAR esta base de negociación, es entregar a España atada de pies y manos a la hegemonía de las potencias totalitarias.

La única base de negociación posible sobre el problema español es, lo repetimos una vez más, la renuncia definitiva y sin subterfugios de Mussolini y de Hitler a su aventura española. Que dejen a los españoles arreglárselas entre ellos. No hay otra solución favorable para la paz en Europa.

Y si el abandono indefinido de España y de los españoles a su trágico destino es considerado como insoportablemente inhumano y cruel, solo cabe hacer una cosa: acabar de manera simultánea y total con los dos grandes e irreductibles factores de la tragedia española, el fascismo y el comunismo. Dicho de otro modo: la firma de un pacto.

Aunque la simple mención de esta palabra provoque una ola de protestas en los dirigentes de Barcelona y de Burgos, este es el único bien al que realmente aspiran veintidós millones de españoles: la Paz.

EL ABASTECIMIENTO DE ESPAÑA
LA ÚNICA ESPERANZA DE FRANCO ES LA DE REDUCIR A LA REPÚBLICA POR EL HAMBRE

3 DE DICIEMBRE DE 1938

Al cabo de dos años y medio de guerra, y ante la llegada del invierno, no es de extrañar que el general Franco no tenga ya ninguna esperanza de triunfar mediante las armas y que no le quede más que una posibilidad de victoria: reducir al adversario por hambre.

Para ello necesita, en primer lugar, el apoyo de Europa y del mundo. Ya que solo, y por muy decidido que estuviese a cometer tal aberración, no podría cortar el suministro de víveres a su pueblo.

Este apoyo universal que Franco reclama se denomina en el lenguaje diplomático «derecho de beligerancia». En otras palabras: facultad de instaurar el bloqueo de las costas españolas mediante la cooperación de la flota y de sus aliados.

La falta de víveres en la España republicana es, de hecho, una realidad innegable. La zona leal se encuentra sometida desde hace ya varios meses a un régimen de subalimentación que ha empezado a provocar desastrosas consecuencias en las masas populares, en las que la tuberculosis y el raquitismo infantil están haciendo estragos.

Una vez recuperada de la euforia revolucionaria de los primeros momentos, la República había puesto fin al caos del abastecimiento introduciendo en España un régimen de almacenamiento y de distribución igualitario e inflexible; con todo, por muy excelente que fuese este régimen, y suponiendo que la administración republicana fuese perfecta y redujese al mínimo el despilfarro inevitable en toda guerra, lo más que podría hacer el Gobierno de la República sería alimentar medianamente a los cinco o seis millones de habitantes con los que la zona gubernamental contaba antes de la guerra civil. Ahora bien, quedan además los tres o cuatro millones de refugiados llegados de la zona ocupada por Franco, que han abandonado allí el trozo de pan que ganaban con su sudor y con el que, mientras ellos mueren de inanición, el general rebelde compra el material de guerra que necesita. Pero, ¿por qué, cabe preguntarse, ha abandonado esta gente la zona rebelde? Sencillamente porque el régimen que Franco pretende imponer en España es tan monstruoso que la gente prefiere morir de hambre a soportarlo. Esta es la verdad de la guerra española. Los aviones alemanes se pagan al contado con los millones de latas de sardinas destinados a alimentar a los mismos españoles que ahora mueren de hambre en la zona republicana. Así funciona la economía actual, como bien sabía un hombre tan poco sospechoso de animosidad contra Franco como René Benjamin.

* * *

La táctica consistente en dejar morir de hambre a la España republicana es la consecuencia lógica del nuevo giro que Mussolini y Hitler han dado a su política de intervención en España tras considerar, por un lado, el fracaso militar del *Caudillo*, y por otro, los excelentes resultados de Múnich.

Pero tal vez Mussolini no ha contado con dos contingencias que pueden resultarle funestas. Una de ellas es la extraordinaria capacidad de sufrimiento del pueblo español que, educado en la austeridad y en el espíritu de sacrificio, puede llevar su resistencia hasta el límite de la desesperación, de tal manera que quizás llegue un momento en que el mundo entero manifieste su horror ante el martirio infligido a cinco o seis millones de personas. La otra es que para matar de hambre a la República española es necesario contar con la ayuda del mundo entero y, más particularmente, de las grandes potencias democráticas, con Francia a la cabeza.

Desde el principio de la guerra española, Alemania e Italia han disimulado y justificado su intervención oficial mediante una escandalosa campaña sobre el abastecimiento de los *rojos* por parte de la URSS y de Francia. Pronto será posible dilucidar y evaluar con exactitud la ayuda prestada por la URSS. En cuanto al abastecimiento de la España republicana por parte de Francia, estamos ya en condiciones de dar a este asunto una respuesta categórica. Si Francia hubiese querido abastecer al Gobierno de la República, tal y como afirma la propaganda fascista, la población de la zona gubernamental no estaría tan hambrienta como lo está desde hace muchos meses. El abastecimiento de la República española por parte de Francia se reduce a lo que la solidaridad de los partidos políticos de izquierda y las organizaciones sindicales han podido hacer a título personal y con sus propios medios, mientras que el Estado francés nunca ha abandonado su política de no-intervención ¿Quién puede dudarlo? La ruidosa propaganda callejera que el partido comunista hace en Francia para conseguir algunas latas de leche y unos miles de francos que, sin resolver el problema del abastecimiento de España, dan a los Estados totalitarios una excusa para intervenir abiertamente, nunca tendrá la decisiva eficacia de una simple decisión del Gobierno, que hubiese bastado para echar por tierra todos los proyectos destinados a reducir por el hambre a la República española. Francia dispone hoy de una excelente reserva de trigo que se ha visto aún más aumentada por el enorme excedente de la última cosecha. Nada le impide vender al Gobierno de Barcelona algunos millones de quintales de trigo, con los que la población de la España leal podría ser generosamente alimentada durante un año. El pago de este trigo está avalado por el depósito de oro que el Banco de España posee en la propia Francia.

Esto resulta tan claro que es difícil entender cómo el general Franco ha tenido la audacia de fomentar entre las masas de la España nacionalista el odio a una Francia que, con un simple gesto, podría dictar el fracaso de su desesperada tentativa, ni cómo Mussolini cree posible una solución del problema español que fuera contraria y hostil a las grandes democracias, y muy particularmente a Francia. En cualquier caso, tras la convencional agitación revolucionaria del partido comunista y la no menos convencional reacción anticomunista del fascismo, los verdaderos objetivos perseguidos por las potencias totalitarias en la guerra de España son cada día más evidentes.

¿MEDIACIÓN EN ESPAÑA O GUERRA DE EXTERMINIO?

NOVIEMBRE DE 1938

La idea de una posible mediación levanta tempestades de protestas tanto en la España republicana como en la España de Franco. Este último ha puesto en batería a sus intelectuales a fin de que combatan toda tentativa de paz. Por su parte el Dr. Negrín ha rechazado toda idea de mediación declarando que, mientras continúe en la España nacionalista la intervención extranjera, no será posible ningún compromiso entre invasores e invadidos.

El clamor es unánime en ambos campos: ¡No a la mediación! ¡Guerra hasta el final!

Quienes, como nosotros, creen que la guerra de España no puede terminar de otro modo que mediante un compromiso, quienes tienen la firme convicción de que no habrá paz en España más que por medio de un compromiso, son objeto de furiosos ataques de uno y otro bando.

Toda acción a favor de una tregua, de un armisticio se considera un crimen de lesa patria. Cuando se propone que los dos ejércitos cesen de combatir, manteniendo incluso cada uno sus posiciones, en un descansen armas, a fin de que las dos partes puedan proceder a una elemental revisión de sus diferencias con el enemigo, a un examen de conciencia que, al cabo de veintisiete meses de guerra resulta imprescindible, los jefes de la guerra ponen el grito en el cielo y pretenden que el objetivo de tales propuestas es el de dividir a España.

La realidad es que tienen miedo. Temen más la paz que la guerra. Les falta fe en España y en ellos mismos. Si hubieran tenido fe en su patria sabrían que España es indivisible, que no existe fuerza alguna capaz de romper la cohesión nacional del pueblo español y que la línea de los frentes actuales no se convertirá jamás en la frontera de esas dos Españas que ni siquiera llega uno a imaginar.

Por otra parte, si tuvieran fe en los ideales por los que combaten no mostrarían este miedo a la paz que les incita a prolongar la guerra hasta el exterminio del adversario, a sabiendas de que sin la coacción brutal de las armas les sería imposible proseguir sus insensatos designios. Millones de españoles tienen la triste certeza de que el general Franco prolonga artificialmente la guerra.

Sin embargo, estos clamores de protesta lanzados por los servicios de propaganda del Gobierno de Franco y del de la República contra toda tentativa de mediación no pueden engañar sobre la verdadera voluntad del pueblo español, rojo o blanco.

Si fuera posible hacer un plebiscito en España, se comprobaría que el noventa y nueve por ciento de los españoles se pronunciarían por la mediación y el compromiso. Pero en Europa pasó ya el tiempo de los plebiscitos. Si se hace una llamada a los pueblos no es para que decidan sino para que ratifiquen. El plebiscito, según la costumbre establecida, será llevado a cabo por el vencedor.

Aunque sin llegar a la audacia de convocar, buscando la solución del problema, a la soberanía popular y sin pasar por alto que la sola idea de un verdadero plebiscito pueda parecer hoy día extravagante y anacrónica, hemos de admitir la necesidad –impuesta por la fuerza de las realidades e independientemente de cualquier convicción democrática– de introducir en el problema español unos términos diferentes de los que, hasta ahora, lo hacían insoluble. Es decir, que por más irritación que pueda provocar entre los beligerantes, hay que contar con un nuevo factor, con algo que los beligerantes, tanto de un lado como de otro, han rechazado hasta ahora como el mayor disparate.

Hay que contar con la voluntad de paz y de conciliación de la mayoría del pueblo español secuestrada desde hace más de dos años por los partidos en lucha.

Si, como parece ser, la guerra no ha podido dar la victoria completa a ninguno de los dos bandos, ¿no es hora ya de que ambos suspendan la lucha para revisar sus posiciones doctrinales, que por muy firmes que resulten a sus ojos no han podido asegurarles la victoria pese al cruel sacrificio impuesto al país y al insensato recurso a la ayuda extranjera?

El cese de las hostilidades y la mediación con vistas a un compromiso se imponen cada día con más fuerza. Solo una obstinación criminal en el error podría cortar este camino.

Contra la idea de una mediación se han invocado todos los pretextos posibles. Ninguno es válido. Basta con examinarlos superficialmente.

El más serio parece ser el de la sustancial divergencia de las ideologías.

Los dos grandes sistemas ideológicos que se han enfrentado desde el inicio de la guerra –la Revolución y el Imperio– siguen siendo antagónicos y por si solos justificarían la prolongación indefinida de la lucha. Pero la realidad, la auténtica realidad española, es que la guerra ideológica se acabó en España desde hace ya largos meses. Ya nadie se bate por la Revolución ni por el Imperio, utopías igualmente inaccesibles en el cuadro de las posibilidades actuales de España. El comunista y el anarquista han visto desvanecerse sus ilusiones revolucionarias del mismo modo que el fascista y el tradicionalista se han despertado de sus sueños imperiales ante la dura realidad de la patria desgarrada, presa fácil para la codicia extranjera.

Es falso –digan lo que digan quienes dirigen la guerra– que el espíritu de cruzada ideológica siga vivo ni en un bando ni en el otro. Los españoles ya no se matan por una ideología; se matan por puro instinto de conservación. Cada hombre tiene frente a él a otro que amenaza su vida y es únicamente a causa de esta mutua amenaza, perpetuada por el mecanismo atroz de la guerra, que ninguno puede deponer las armas que es lo que de todo corazón querrían. Un alto en la lucha, un momento de reflexión y la guerra ya no sería posible. Ni por el fascismo, ni por el comunismo, ni por la Revolución, ni por el Imperio, volverían los españoles a tomar las armas.

El principal argumento de la resistencia a toda mediación es la repugnancia que hay a tratar con un enemigo deshonrado por sus crímenes. No se pacta con asesinos, es evidente. El argumento sería incontestable y justificaría una guerra de exterminio si todos los asesinos se encontraran enrolados bajo la misma bandera. Pero, a pesar de todas las propagandas no se ha logrado demostrar que una de las dos Españas tenga el monopolio del crimen. El terror blanco ha sido tan brutal y tan horrible como el terror rojo. El número de asesinatos cometidos en la España nacionalista no ha sido inferior, en total, al de los asesinatos perpetrados en la España republicana.

Actualmente, por motivos de propaganda, unos y otros quieren hacer pasar a sus asesinos por agentes de la autoridad y pretenden convertir los asesinatos en ejecuciones; pero la guerra solo espera para terminar el momento en que los españoles honorables de uno y otro campo quieran desligarse completamente de los criminales a los que se encuentran fatalmente ligados.

De hecho, la victoria absoluta de uno de los dos partidos sobre el otro solo representaría un beneficio positivo para los criminales del partido vencedor que aspiran a asegurarse, mediante la victoria, la impunidad de sus crímenes. El principal obstáculo a la mediación y al cese de hostilidades mediante un compromiso es que semejante solución no ofrecería a los delincuentes de uno y otro lado las garantías de impunidad que necesitan. Mediación significa discusión, revisión, depuración, responsabilidad...

Esto es lo que se quiere evitar a toda costa con una victoria que sería para el campo victorioso el Jordán purificador de los crímenes cometidos.

Queda también el argumento sentimental según el cual tratar con el enemigo sería traicionar a los muertos, hacer inútil el sacrificio de los héroes. Los que han muerto heroicamente por el ideal de la Revolución, o por el del Imperio, se levantarían de sus tumbas y clamarían contra la traición.

Así hablan quienes se obstinan en continuar la guerra. Y para honrar la memoria de los que han sucumbido, se quiere obligar también a los supervivientes de la catástrofe a sacrificarse por unas ideas que con toda certeza ya no son las suyas.

La verdad es que los representantes de ideologías antagónicas, comprendiendo su fracaso, todavía intentan especular con la sangre vertida para insuflar un nuevo vigor a sus decepcionadas tropas. Quienes mantienen la guerra creen que la sangre derramada es el patrimonio de su facción, un derecho a la victoria que ellos han adquirido. No conciben que se pueda honrar a los muertos de ninguna otra manera.

Ni unos ni otros se atreven a reconocer, en su vil egoísmo, que lo que hay de sublime en la condición del héroe es que su gloria debe ser ajena al azar del triunfo o la derrota. El triunfo puede ser indispensable a los vivos que quieren rodearse de gloria y honores. Los héroes muertos no lo necesitan.

La guerra de España no tiene hoy ya ningún sentido. Es intolerable que algunos se empeñen en prolongarla, con sus muertos como única bandera.

IDEAS Y DOCTRINAS

LA ETAPA FINAL DE LA GUERRA DE ESPAÑA

22 DE DICIEMBRE DE 1938

Si se le hubiera concedido al general Franco el derecho de beligerancia a cambio de la retirada de diez mil voluntarios tal y como él pedía, le habrían regalado una victoria que no supo conseguir con las armas. El derecho de beligerancia no significaba ni más ni menos que el derecho a ejercer el bloqueo, dicho de otra manera, el derecho a doblegar mediante la hambruna a la España republicana que le fue imposible vencer por la fuerza.

Pero ni Franco ni sus aliados pueden colocar a la República española en estado de sitio sin el consentimiento y colaboración de las potencias democráticas a quienes esta maniobra puede perjudicar. Es evidente que Franco no puede ganar si Francia e Inglaterra no ponen entre sus manos el arma que él necesita. Y es absurdo pensar que las potencias democráticas van a poner entre las manos de Franco un arma que en definitiva habría apuntado contra ellas mismas. Porque, dejemos de lado las artimañas doctrinales y las beaterías ideológicas: Franco es, para las potencias totalitarias, un instrumento de expansión imperialista en el mediterráneo y en África del Norte, no es nada más. Si la Alemania de Hitler viera en los comunistas españoles un instrumento eficaz contra el imperialismo francés o el inglés en África del Norte, les apoyaría, de la misma manera que la Alemania del Káiser apoyó a los comunistas rusos en 1917.

Si Mussolini tuviese la menor esperanza de encontrar entre los demócratas españoles elementos listos para apoyar sus pretensiones expansionistas, abandonaría a Franco con todo su equipo de obispos católicos y de banqueros judíos para aliarse con la República española, tal como intentó hacerlo cuando esta fue instaurada. Alemania e Italia apoyan a Franco no por motivos ideológicos, menos aún por razones sentimentales, que los regímenes totalitarios desprecian sistemáticamente, sino porque han encontrado en él el instrumento que necesitaban sus políticas. Monárquica o republicana, España nunca se apartó de la órbita de las potencias democráticas en la que su situación democrática le obliga a moverse. Franco se dejó seducir por las sirenas del imperialismo totalitario y creyó imprudentemente que le sería posible instaurar en la Península un Estado guerrero, árbitro de los destinos de la Europa occidental. Esta elucubración descabellada recibió el nombre de «España Imperial». Pero Franco, después de haber arruinado su patria con dos años de guerra civil, se encontró de repente frente a la dura y sólida realidad que sus ojos miopes no habían podido ver, el día en que, ante la inminencia de una guerra europea, tuvo que apresurarse vergonzosamente a ofrecer garantía de amistad a las potencias democráticas contra las cuales había manifestado una hostilidad sin sentido. Aquel día del mes de septiembre, cuando la guerra estuvo a punto de estallar, Franco se dio cuenta de la falsa situación en la que sus protectores le habían colocado. La guerra no tuvo lugar, lo que le permitió perseverar en el equívoco y seguir explotándolo. Pero este Estado beligerante que había empezado a atribuirse a sí mismo la beligerancia, tuvo que llegar a solicitarla humildemente de las mismas potencias contra las que pretendía enfrentarse. Franco y sus aliados, al ver que no le era posible vencer por las armas y creyendo que el régimen de concesiones de Múnich podía extenderse al Mediterráneo, modificaron su táctica y se pusieron de acuerdo para mandar de vuelta a diez mil italianos, solicitando al mismo tiempo la beligerancia, dicho de otra manera, el derecho al bloqueo y el consentimiento de las grandes democracias a su proyecto de reducir a la República por el hambre durante el invierno. Pero Múnich fue una lección lo bastante elocuente como para que las potencias democráticas no se presten, esta vez, a forjar ellas mismas el arma destinada a combatirles, como habían forjado imprudentemente el arma de la no intervención. Su actitud no da lugar a ningún equívoco: si Franco puede ganar, que gane, pero que no les pida su colaboración para conseguir una victoria que no ha sido capaz de ganar solo. Es evidente que si Francia cierra su frontera de los Pirineos y si los buques ingleses ya no se quedan en los puertos españoles, la República debe morir: pero no se ve por qué tal acto se beneficiaría de la complicidad de potencias abiertamente decididas a no intervenir en la lucha, aun cuando estas potencias saben que existe una intervención en dirección única.

Esta firme decisión hizo fracasar la táctica adoptada desde Múnich por Franco y sus aliados, quienes, ante la evidencia del fracaso, abandonan ahora su maniobra capciosa para volver con más fuerza que nunca a la política de intervención armada en España. De cualquier manera Franco debe vencer.

Así, en el curso de las próximas semanas, la guerra de España va a entrar en un nuevo periodo de actividad. Se quieren conseguir éxitos a toda costa de los que sacar argumentos para las conversaciones diplomáticas que tendrán lugar en enero, con ocasión de la visita del señor Chamberlain a Italia. Resulta que rectificando la política empezada por la retirada de los diez mil italianos, han mandado a España nuevos contingentes de tropas italianas y han acumulado allí un formidable material de guerra. Se desea que esta próxima ofensiva sea decisiva y se espera para emprenderla poder considerar la victoria como asegurada. De esta manera la esperanza de una victoria rápida solo puede descansar sobre esta acumulación de tropas y de material extranjero, porque Franco, desde que agotó las reservas de buenos soldados que traía de Marruecos y de los «Requetés de Navarra», ya no sabe cómo reclutar del pueblo español las tropas que le darían la victoria y no tiene más remedio que refugiarse en los brazos de los italianos.

El reciente estallido de las reivindicaciones territoriales italianas no tiene más objetivo que preparar a Europa para esta conquista en la Península, acción que Francia e Inglaterra deberían considerar como una buena escapatoria para la paz europea. Se apunta a Córcega y se toman las Baleares; se amenaza a Túnez y ocupan la zona española de Marruecos. La táctica es elemental.

La única dificultad de la maniobra está en la España misma de Franco. Tocamos aquí por primera vez el verdadero punto de fricción entre españoles e italianos: el Ejército y las operaciones militares.

La España de Franco, a pesar de todo lo que puede afirmar la propaganda gubernamental, jamás se sintió humillada por la influencia política de Italia. Los nacionalistas españoles avalaron el fascismo sin repugnancia, aceptan incluso con entusiasmo la obediencia a los objetivos imperialistas de los estados totalitarios. Pero el Ejército español, desde el primero al último de sus oficiales, no se resigna a ver organizarse y desarrollarse una campaña específicamente italiana en la Península. A partir de ahora, apreciando con toda prudencia los indicios que se tienen del estado de espíritu de los oficiales españoles, se puede predecir que un avance victorioso de las columnas italianas en Cataluña marcaría el punto de saturación de la España nacional, y el principio para ella de una rápida descomposición. Más exactamente: no hablamos de la descomposición de la retaguardia, lugar común de la propaganda republicana, sino de la cabeza, del Ejército mismo, que fue la iniciadora de la revuelta y el alma del movimiento. La opinión pública no cuenta en la España nacional: por el contrario, lo que piensan y lo que sienten los oficiales, lo que se comenta en los campos y en los cuarteles es muy importante. Pero, el sentimiento de los militares españoles es unánime: «Si los italianos quieren ayudarnos a ganar la guerra, sabremos reconocer y pagar sus servicios cuando llegue el momento; pero la guerra de España somos nosotros, soldados españoles, quienes la ganaremos».

Este punto de vista es tan evidente que Franco, por primera vez, tuvo que combatir con medidas represivas y policiacas la campaña antiitaliana de sus propios generales y oficiales de su Ejército. Hasta ahora, siguiendo una declaración pública, los militares castigados lo fueron por inteligencia con los «rojos». Se quiere hacer creer que se trata simplemente de agentes del Gobierno de Barcelona, de espías infiltrados en el Ejército nacional y, con el pretexto de arrinconarles, se somete a todos los militares españoles a una vigilancia policiaca de las más estrechas, que se les pide aguantar en nombre de su patriotismo. Esta es la situación actual.

Si los militares españoles conservan la iniciativa y soportan el peso de las operaciones, la guerra va camino de eternizarse: el militar español concibe la guerra como un estado normal y no tiene ninguna prisa en acabarla; no olvidemos que la campaña de Marruecos duró veinte años y que la reconquista de la Península necesitó siete siglos.

Si los italianos intervienen de manera decisiva para acabar de una vez, corren el riesgo de chocar no solo con la resistencia de los gubernamentales sino con la del Ejército nacional, secretamente orgulloso del valor y del heroísmo de los españoles del otro bando, y quienes, si tuvieran que elegir, hasta preferirían una victoria de los «rojos» a una victoria de los italianos.

EL GENERAL FRANCO

ENERO DE 1939

¿QUIÉN es Franco? Para unos un defensor de la civilización occidental enviado del cielo, para otros un siniestro instrumento de la barbarie, un luminoso arcángel o la encarnación del mal, el salvador de su patria o un traidor a su patria, un caballeresco paladín o un asesino de inocentes, lo mejor y lo peor –todo lo que pueda decirse de un hombre se ha dicho de este.

La retórica y el énfasis con los que invariablemente se habla de él lo han convertido en un ser abstracto, en un personaje deshumanizado, un puro símbolo del bien o del mal. Es comprensible que nosotros, los españoles, obsesionados por la guerra, hayamos hecho de él un mito; pero resulta difícil explicar por qué la fría y desapasionada observación extranjera ha sido incapaz de atravesar esa aureola que lo envuelve para descubrir los verdaderos rasgos del hombre que es. Después de dos años, el general Franco sigue siendo una abstracción polémica. Se está con él o contra él, pero hasta ahora nadie parece haberse molestado en averiguar cómo es el verdadero Franco.

No negaremos la evidencia. Franco es hoy el indiscutible dueño de la España nacional. Pero, ¿quién es? ¿Quién es el hombre que hay dentro de esa reluciente armadura con la que se presenta ante el mundo?

Si queremos dar una idea exacta de quién es Franco en realidad, lo primero que debemos hacer es abstenernos de toda retórica. Constantemente tendremos que usar un tono menor del que queden excluidas las palabras altisonantes, los superlativos y todo el énfasis del discurso castellano. Franco es lo más radicalmente distinto de un gran hombre que se pueda ser. En toda su vida no encontramos un solo rasgo de grandeza. Desafío a sus biógrafos a señalar uno. Lo que más sorprende es su absoluta normalidad. Cuando sus amigos íntimos hablan de él y quieren ser sinceros dicen, como si fuera el más alto elogio que pudieran dedicarle, que es un *hombre normal**, un hombre corriente.

Y ciertamente lo es. Sus detractores le han atribuido los vicios más horrendos y sus defensores las virtudes más excelsas sin que unos ni otros tengan en realidad el menor fundamento. Franco no es más que un hombre idéntico al resto de los hombres. Ésa es su verdadera fuerza. El secreto de Franco es su identificación con la masa, con la clase media que lo apoya. El más mediocre de los ciudadanos españoles se ve reflejado con asombrosa fidelidad en los ademanes y el discurso del líder.

Para ser enteramente justos, debemos quitarle a las palabras todo su sentido peyorativo. Esa mediocridad fundamental de Franco no presupone su ineptitud para ninguna tarea, por ardua y penosa que esta pueda ser. Con la misma rectitud que ha mostrado en ser un buen oficial y un perfecto esposo, Franco podría haber sido cualquier cosa. Cualquier cosa excepto una: un hombre superior. Sus limitaciones no le impedirán desempeñar con eficacia los deberes que se le impongan. Aplicado, trabajador, tenaz y arrojado, llegó a disfrutar del mayor prestigio entre los oficiales del Ejército Español. Pero igualmente podría haber quedado el primero en las oposiciones al Registro de la Propiedad

* En español en el original. (*N. de la T.*)

o al Cuerpo de Archiveros y Bibliotecarios. La de Franco es la carrera brillante del funcionario ambicioso. Si la historia la hicieran los «primeros» de las oposiciones, Franco sería el hombre de la España de hoy.

Pero la cualificación profesional y el dominio de una técnica no bastan para poseer ese sentido de la universalidad que caracteriza al hombre superior. El sacrificio sistemático de la cultura humanística en aras de la especialización y la habilidad técnica implica que en cuanto el especialista y el técnico abandonan la esfera de su actividad particular se convierten en bárbaros peligrosos. Este es el caso de Franco.

Un brillante oficial del Ejército que sobresale como técnico en la estrategia militar se encuentra un día con que las fuerzas que gobiernan su país se hallan en un estado de crisis. Espoleado por su ambición, se cree capaz de gobernar él mismo en su lugar. Y, siendo el único recurso que tiene en su mano, decreta la guerra, que es aquello que sabe hacer.

Aunque este grave obstáculo de la especialización no bastaría para explicar el caso de Franco si no fuera por otra circunstancia puramente personal que ha resultado funesta para España. Franco es un hombre sin imaginación.

Si Franco hubiera sido capaz de imaginar las consecuencias fácilmente previsibles, casi inevitables, de cada una de sus decisiones, podemos estar seguros de que no las habría tomado. Si hubiera sido capaz de imaginar que cuando entregó a los fascistas las armas que había en los barracones de los regimientos insurgentes el Gobierno también entregaría las suyas a comunistas y anarquistas; si, cuando decretó el «terror blanco» para salvar la rebelión militar que había fracasado (siguiendo la pura escuela de Lenin), hubiera imaginado lo que el «terror rojo» iba a ser; si, cuando convirtió el movimiento contrarrevolucionario español en una cruzada antidemocrática internacional para obtener el apoyo de Alemania e Italia, hubiera previsto con claridad la medida de la reacción universal que se produciría contra el imperialismo de los países totalitarios; si hubiera previsto todo esto, resulta indiscutible que no habría hecho nada, absolutamente nada de lo que hizo. ¿Se habría prolongado la guerra hasta hoy si Franco hubiera podido imaginar la situación en la que España se encontrará tras su triunfo? No; la guerra continúa porque Franco, un hombre sin imaginación, no es capaz de concebir cómo será la paz; porque no es capaz de concebir siquiera que esta sea posible. Prisionero de su técnica, no cree que exista otra alternativa a la guerra; hoy guerra civil, mañana una guerra europea.

Esta amputación de la capacidad imaginativa que caracteriza al general Franco no supone inconveniente alguno para el ejercicio de ninguna disciplina o profesión en sus niveles intermedios. Hay meritorios hombres de ciencia y excelentes generales con muy escasa o nula imaginación. Franco podría incluso haber sido el instrumento eficaz de una política militar determinada. En manos de Mussolini habría podido resultar tan valioso como Graziani. Y si la República Española hubiera sabido cómo utilizarlo y él se hubiera avenido a servirla con lealtad, quizá hubiera tenido motivos para agradecerle sus virtudes.

Pero este hombre sin imaginación, situado a la cabeza del Estado en un momento de crisis nacional, ha acabado convirtiéndose en una terrible catástrofe para su país.

Cuando el mundo, horrorizado ante la devastación de la guerra civil, eleva su protesta llena de indignación, los partidarios de Franco argumentan que los daños materiales y la pérdida de vidas humanas no son nada en comparación con el futuro de la Patria inmortal. «España –dicen– no está en los edificios que pueden ser destruidos por un bombardeo aéreo; ni siquiera en las vidas de los españoles que caen en la lucha. España, la España Imperial, es la idea de ella misma que se ha forjado en la mente del Caudillo».

Pero en la cabeza de este hombre sin imaginación no hay ninguna idea de España. ¿Puede alguien concebir mayor tragedia para un pueblo?

Resucitar una España Imperial con la ayuda de Alemania e Italia y a costa de los poderes democráticos, ésa es la ardua misión histórica que el general Franco se ha impuesto a sí mismo. Podría aducirse que hace falta una imaginación fuera de lo común para concebir semejante plan. Y ciertamente es así; esa sobreabundante imaginación perteneció a un joven andaluz, a un intelectual desesperado y trágico que fue fusilado en Alicante por el Gobierno Republicano: José Antonio Primo de Rivera.

El general Franco cree que es posible armonizar el antisemitismo de la Alemania moderna con la persecución religiosa que los Reyes Católicos llevaron a cabo contra los judíos. El hombre nórdico de Hitler odia al judío simplemente por ser judío; el español del siglo xv lo odiaba no por ser un judío, sino por ser un deicida. Hace cuatro siglos los españoles hicieron lo que los alemanes están haciendo ahora, pero no porque el judío representara un peligro para la pureza de la raza española, sino porque era el enemigo de la Fe. Precisamente porque no era una cuestión de incompatibilidad racial, sino una cuestión religiosa, el judío converso se integraba fácilmente en la poderosa nacionalidad española. Y, gracias a esta relativa tolerancia, el general Franco puede hoy hacer lo mismo que muchos judíos alemanes harían sin duda si se les permitiese vivir en Alemania con la misma libertad con la que vivieron en España los ancestros de Franco: apoyar el antisemitismo.

El principal defecto de Franco es su falta de espíritu cristiano. Todas las mañanas va a misa y todas las noches se encomienda con fervor a su ángel de la guarda y a la Virgen María después de dar el visto bueno al parte de operaciones en el que, triunfalmente, se consigna la cifra de cadáveres del enemigo recogidos en el campo de batalla. La *sancta simplicitas* del católico español común queda satisfecha con estas demostraciones rituales y otorga a Franco el título de Defensor de la Fe. Pero ni la irreligiosidad esencial del Caudillo ni las proposiciones francamente heréticas en las que se basa su Estado habrían pasado por alto al ojo experto del inquisidor del siglo XVI.

La actual jerarquía de la iglesia española sabe también que no puede hacerse ninguna ilusión con respecto al catolicismo de Franco, pero sumisamente lo sigue aferrándose a la teoría del «mal menor» porque hoy en día, en la España Nacional, la Iglesia es más débil de lo que nunca haya sido en España. La única esperanza de esos obispos que levantan el brazo derecho para saludar a la romana consiste en que Franco no es inmortal. Confían en que pueda morir antes que ellos para tener así tiempo de haber redimido sus almas cuando les llegue la hora de rendírselas a su Creador. Y debemos recordar que muchos de ellos son octogenarios.

Contra la revolución Franco es invulnerable. Cada una de las armas que esgrimen los revolucionarios Franco sabe emplearlas con su misma destreza. La rebelión contra el poder constituido, el ejercicio sistemático del terrorismo, la destrucción del orden establecido, el expolio de la riqueza nacional –de todo aquello que el revolucionario cree permisible en aras del triunfo de su revolución se sirve Franco para impedirlo–. Eso es lo único que el revolucionario podría reprocharle: no estar haciendo una revolución.

Y, por otra parte, el no revolucionario puede exigirle cuentas tanto por los daños materiales que han ocasionado sus acciones como por los valores espirituales que, para asegurar su triunfo, no ha dudado en sacrificar. Si, para vencer a la revolución, Franco ha incurrido en todos los pecados de la revolución misma; si no hay error o crimen revolucionario que no haya cometido, ¿cuál podrá ser el fundamento moral de su acción contrarrevolucionaria?

Desde las trincheras de la revolución, Franco es invencible. Desde el punto de vista de la contrarrevolución se halla, por el contrario, virtualmente aniquilado. Los nacionales pueden reprocharle haber provocado una doble invasión extranjera; los conservadores pueden considerarse defraudados desde el momento en que no ha dejado nada que conservar; los tradicionalistas le exigirán rendir cuentas de sus veleidades pseudo-revolucionarias y extranjerizantes y los católicos podrán, con no poca razón, protestar contra la utilización de sus creencias como arma de una guerra civil en favor de un sistema político que es anti-cristiano y anti-católico.

En la vida de Franco hay tres momentos críticos que delatan la inclinación rebelde de su mente, su íntima rebelión interior contra la realidad de una patria española que no se ajusta al esquema que su estrecha mentalidad (la mentalidad de un oficial ambicioso y sin cultura) ha trazado. La historia dirá que Franco se alzó en rebelión el 18 de julio de 1936 porque el Gobierno de la República, hostigado por las fuerzas revolucionarias, había permitido el asesinato de Calvo Sotelo. Pero la rebelión de Franco contra su «patria real» antecede a todos los pretextos que desde entonces se han invocado para justificar el alzamiento militar. El rebelde existía ya en potencia y solo esperaba la oportunidad propicia para mostrarse.

El primer choque de la ambición personal de Franco con la realidad de España se produjo en tiempos de la monarquía y estuvo precisamente dirigido contra la Dictadura militar. Hubo un momento en que el dictador de España, el general Primo de Rivera, consideró a la vez prudente y patriótico poner fin a la aventura de Marruecos que, durante los últimos veinte años, había supuesto una constante sangría para el país. Se encontró entonces con la oposición del Ejército de África. Confiado en su prestigio personal y en su autoridad como dictador, que hasta entonces había estado fuera de disputa, Primo de Rivera se desplazó personalmente a Marruecos y convocó en el campamento de Ben-Tieb a los comandantes y oficiales de la Legión creyendo que podría obtener su obediencia. Sin embargo, lo recibieron en declarada rebelión, con pancartas subversivas en los parapetos y las manos en el revólver. El líder de la rebelión, el teniente-coronel Franco, informó al dictador del inquebrantable propósito de los oficiales de las tropas coloniales, totalmente opuesto al del Gobierno.

Aquel día conoció el derrumbe moral de la Dictadura del general Primo de Rivera, que pronto arrastró en su caída a la monarquía de Alfonso XIII. La guerra en Marruecos continuó, y aún continuaría para gloria y provecho de la oficialidad del Ejército español de no ser porque la decisión del gobierno francés de acabar de una vez por todas con la revuelta de Abd-el-Krim obligó a España a una acción conjunta y decisiva. ¿Será ésa una de las causas del la antipatía de Franco hacia Francia? El desembarco de Alhucemas, que se logró con la colaboración de la armada francesa, y la rendición de Abd-el-Krim ante los oficiales del Ejército francés, frustraron las ambiciones bélicas de los líderes militares españoles al reducir a una simple operación policial lo que en principio iba a ser una campaña larga y costosa pródiga en condecoraciones y ascensos. Para Franco, como para la mayoría de los oficiales españoles, la colaboración era un detrimento, una molesta limitación a sus ambiciones de *conquistadores*[*].

La disolución por parte de la República de la Academia General Militar fue otro de los momentos críticos en la vida de Franco. Cuando hubo finalizado la campaña en Marruecos, Franco se hizo cargo de la reconstrucción de la antigua Academia y se entregó con fervor a la forma-

---

* En español en el original. (*N. del T.*)

ción de un selecto cuerpo de oficiales. Desde un punto de vista militar la Academia era perfecta, pero las limitaciones profesionales de Franco, su carencia de universalidad y de cultura humanística transformaban al oficial que salía de la Academia –profesionalmente impecable– en un elemento perturbador para la vida del Estado. El contraste entre sus objetivos fundamentales y el espíritu de los cadetes formados por Franco resultaba flagrante. Franco sabía cómo hacer excelentes oficiales, pero era incapaz de convertirlos en buenos ciudadanos y leales servidores del Estado ya fuera este republicano o monárquico, de derechas o izquierdas, revolucionario o reaccionario.

Entonces Azaña decretó la disolución de la Academia, pero Franco, al despedirse de sus cadetes, los preparó para cuando llegase la hora de cumplir el destino que les tenía reservado. A lo largo de tres años, setecientos oficiales que formarían parte del núcleo de la futura insurrección contra la República salieron de la Academia. La República no se equivocaba al clausurarla. Los seguidores de Franco se habrían rebelado igualmente contra cualquier otro régimen que se negara a hacer ninguna concesión a aquel espíritu de casta del que estaban imbuidos.

Desde aquel momento Franco ya estaba en rebelión contra el Estado Republicano y solo esperaba a que llegara su hora.

Pero quiso adelantarla, y apenas se hubo conocido el triunfo del Frente Popular en las elecciones de 1936, telefoneó al general Pozas, Jefe de la Guardia Civil, y lo instó a participar en el *coup d'état*. «Las masas se han lanzado a las calles y temo que se vayan de las manos», le dijo. «No está sucediendo nada de particular, y creo que sus temores son exagerados; asumiré personalmente la responsabilidad del mantenimiento del orden público», fue la respuesta del general Pozas. Franco entonces se dirigió al Ministro de Guerra y al Jefe del Gobierno para solicitar que se declarase la ley marcial de inmediato. Él sabía que esa declaración era equivalente a un *coup d'état* del propio Gobierno, y comenzó a transmitir sus propias instrucciones a los generales de división para crear una situación irremediable. Pero el Jefe del Gobierno, que se había mostrado al principio indeciso, se opuso firmemente a la maniobra y los propósitos de Franco se vieron frustrados. Al día siguiente estaba en el poder un Gobierno que constitucionalmente reflejaba el resultado de las elecciones. La oportunidad que Franco había estado esperando se había perdido. Solo quedaba otra vía: la guerra civil.

Para iniciar aquella guerra Franco contaba con una fuerza subversiva que, por sí sola, jamás habría sido de importancia, pero que, con la ayuda del Ejército, fue suficiente para aterrorizar al país y someterlo a su voluntad: era la Falange Española –el fascismo español.

Franco provocó la insurrección gracias a esta fuerza fascista, invistiéndola desde el primer día de completa autoridad, y desdeñando las fuerzas socialmente conservadoras de las que, hasta entonces, había dependido. Del mismo modo que al principio abandonó a la Dictadura y más tarde a la monarquía, Franco ha acabado abandonando también a las fuerzas conservadoras del país, en cuyo nombre se alzó en rebelión, para apoyar el fascismo internacional y sus ambiciones en el Mediterráneo y el norte de África. El fascismo internacional le ha permitido librar durante más de dos años una espantosa guerra contra su propio país sin otro objeto que el de restaurar en España una autoridad personal y arbitraria que, al final, tampoco será la de los enfervorizados seguidores de la Falange Española (porque pronto llegará la hora en que los falangistas serán decepcionados), sino la de un oficial que ha llegado a convertirse en el instrumento del imperialismo de las potencias totalitarias.

IDEAS Y DOCTRINAS

LA RESTAURACIÓN MONÁRQUICA EN ESPAÑA

26 DE ENERO DE 1939

Aunque no se hable demasiado de ello, es una idea generalizada en Europa, y principalmente en las cancillerías, que la guerra civil española, podría, a fin de cuentas, llevar a la restauración de una monarquía más o menos liberal. Los más drásticos doctrinarios antimonárquicos deben reconocer, lo quieran o no, que frente al régimen bárbaro que imponen, a sangre y fuego, el general Franco y sus ejércitos de moros, de legionarios, de italianos, de alemanes, de requetés y de nacional-sindicalistas, un régimen monárquico tradicional sostenido por las clases conservadoras del país y guardando una apariencia –simple apariencia– de liberalismo, sería una salida deseable a esta espantosa guerra civil.

Pero si desde el extranjero la monarquía parece ser una solución viable, por el contrario, para los españoles, tanto rebeldes como gubernamentales, la idea de una restauración monárquica es la más extravagante y la más contraria al sentimiento nacional que se pueda imaginar.

Más aún. Por muy paradójico que parezca, se puede afirmar que la idea monárquica encontraría hoy menos repulsa en la España republicana que en la España nacionalista. Para los republicanos, la monarquía es un mal menor al que se resignarían ante el triunfo posible de la tiranía totalitaria. Pero, para los nacionalistas, la monarquía tradicional significaría el fracaso absoluto y definitivo de sus doctrinas. Si su punto de partida fue, tal como decía José Antonio Primo de Rivera, la muerte por consunción de la institución monárquica, volver a este punto de partida, ¿no sería proclamar ante el mundo entero el error y la monstruosidad del movimiento nacionalista? ¿Los generales no habrían permitido la caída de Alfonso XIII solo por volver hacia él, arrepentidos y con las manos cubiertas de sangre? ¿Franco no habría expulsado al infante don Juan desde los primeros meses de la rebelión solo para reconocer en él a su soberano después de haberle ultrajado? ¿Y por qué habríamos dado al mundo el vergonzoso espectáculo de «Franco, Franco, Franco», quien, durante dos años y medio ha vejado al pueblo español, rebajándolo a la talla ínfima del militar sedicioso? ¿Para que, ahora, el que llamamos el «Caudillo» esté obligado, si quiere salvarse, a dejar el poder entre las manos inexpertas de un joven príncipe cuyo único mérito reside en la posibilidad de convertirse, a los ojos de las cancillerías europeas, en un medio de poner fin a la monstruosa elucubración del franquismo que ha convertido a España en un peligro evidente para la paz de Europa y del mundo?

Los que conocen a fondo España deben reconocer que las posibilidades de restauración monárquica son tan insignificantes hoy en Burgos como en Barcelona o en Madrid. Hasta creo que actualmente sería más fácil al doctor Negrín o al general Miaja coronar a un príncipe en Madrid o en Barcelona, que al general Franco el asentar un trono sobre las arenas movedizas de la revolución nacional-sindicalista que él ha desencadenado sin control.

La revolución social que intentaron los comunistas y los anarquistas ha fracasado definitivamente hace ya dos años: al lado del Gobierno de la República, el pueblo lucha únicamente por su libertad y por su independencia nacional. Las ilusiones revolucionarias se han desvanecido desde hace mucho tiempo porque, por un lado, no encontraron otro apoyo exterior que el de la URSS y del Partido Comunista; y, por el otro, el pueblo español mismo no consintió en luchar por la revolución como luchó por la independencia.

Al contrario, la seudo revolución nacional-sindicalista, que sigue alentando el Ministerio del Interior de Burgos, aparece triunfante porque se ha beneficiado de poderosos apoyos extranjeros y porque los militares siguen imponiéndola por las armas. Para unos como para otros, la restauración monárquica es una regresión al punto de partida, una renuncia a los ideales desmedidos de la revolución y del Imperio que los han llevado a la destrucción de la patria. Sin embargo, es evidente que esta renuncia a la utopía, esta vuelta a la dolorosa realidad puede efectuarse más fácilmente entre las masas hambrientas y abandonadas de la República que en los medios delirantes del nacionalismo a los que se inyectó desde fuera la droga que les mantiene en estado de euforia. Toda solución transaccional –y la restauración monárquica sería una de ellas– puede llegar desde el lado de la República. Desde Burgos no se la puede esperar, mientras Burgos esté sostenida artificialmente por el extranjero.

Mientras se considera la posibilidad de una restauración monárquica, hay que tener en cuenta además un factor que no ha sido divulgado suficientemente fuera de España, pero que para muchos españoles es muy importante, que es la proletarización de las clases dirigentes, que se produjo en la zona nacionalista gracias a las consignas demagógicas del fascismo italiano y del nacional-socialismo alemán, estúpidamente traducidas al español. Este fenómeno es sin duda uno de los más curiosos y de los más extraordinarios de la guerra civil. Es positivo que en la

España de Franco se constata hoy una baja alarmante del nivel medio de los valores morales que caracterizaban al español.

En España se conservaban milagrosamente algunas virtudes caballerescas, que se podían considerar como supervivencias anacrónicas que servían para compensar algunos vicios y defectos españoles no menos anacrónicos. El «señoritismo» era, sin lugar a dudas, una forma degenerada del régimen aristocrático, pero mantenía en España el culto a ciertas virtudes. Si la rebelión de Franco hubiera sido sencillamente la revuelta de los «señores», es probable que la guerra civil no hubiera alcanzado el grado de barbarie que ya conocemos, y es probable que una restauración monárquica fuese a partir de ahora posible.

Pero, durante dos años y medio, los falangistas, reclutados entre la clase media, llena de rencores y turbiamente proletarizada, han luchado por conquistar el poder. El movimiento reaccionario tradicionalista y aristocrático de la primera hora ha sido sustituido por una revuelta de masas jerarquizadas de una manera bárbara y mucho más brutales que el auténtico proletariado.

Nunca hubo en España más que dos núcleos de población estimables: el pueblo verdadero, el proletariado rural y urbano y algunas minorías más o menos aristocráticas que conservaban ciertas virtudes heredadas de los siglos de grandeza. Franco, para apoyar su empresa insensata, tuvo que armar y hacer intervenir en la lucha un tercer elemento: la «mesocracia» española. Sugestionada por el ejemplo del fascismo italiano y del nacional-socialismo alemán, esta mesocracia, vergonzosamente azuzada por sus jefes, rápidamente se dedicó a combatir a la aristocracia tradicional para sustituirla en su función directiva. El régimen de los duques ha sido reemplazado por el régimen de los ayudantes de cámara y son estos últimos quien es hoy, en la España nacionalista, sacan pecho tanto contra los duques mismos como contra los jornaleros. Pero el ayudante de cámara insumiso que personifica el movimiento franquista no es, a fin de cuentas, más que un proletario adulterado sin ninguna de las virtudes del proletariado y con todos sus defectos. Su incultura, su bajo nivel moral solo le permiten instaurar un régimen híbrido y monstruoso, mil veces más odioso que pudiera serlo el de los aristócratas o el de los demócratas. Hablo del fascismo.

Si existía algo en la vieja España aristocrática y tradicionalista que merecía mantenerse, no serán los «rojos» los que lo destruirán definitivamente, sino más bien estas hordas de ayudantes de cámara presuntuosos entre los brazos de los que imprudentemente se han instalado tradicionalistas y aristócratas españoles. Y suponiendo que aún fuera posible restaurar en España la institución monárquica en su sentido tradicional, son ellos los que lo han impedido. De la misma manera, son ellos quienes, por herejía totalitaria, mueven los cimientos del catolicismo español, ellos y no los milicianos anarquistas que pretendían destruir el catolicismo fusilando a los católicos. Es la España nacionalista la que impedirá la restauración de la monarquía y no pasará mucho tiempo antes de que este estado de espíritu público se manifieste de manera elocuente.

Se cree, generalmente, que estos movimientos de opinión no tienen una influencia determinante sobre el desarrollo de los acontecimientos en cuanto que la decisión depende exclusivamente de la voluntad de un jefe. Los que creen aún en el mito de Franco tienen la ilusión de que Franco puede decidir en un momento el porvenir de España, y que bastará una sola palabra suya para que la corona sea ofrecida a Juan III o a Cayetano I. Nada más alejado de la realidad. Franco es incapaz de decidir lo que sea: y es por culpa de esta trágica indecisión, que es la suya, de esta abulia que le caracteriza, que se prolonga la guerra civil, que podría haber terminado hace meses. Cuando Franco llegó a las puertas de Madrid, cuando conquistó las provincias del Norte, cuando el doctor Negrín sacó sus trece puntos, o cuando el Gobierno de Barcelona se declaró preparado para deponer las armas si se ponía fin a la intervención extranjera, en estos distintos momentos, hubiese sido posible poner fin a la guerra civil, si Franco hubiera sido capaz de otra cosa que de hacer la guerra –una guerra destinada a eternizarse si no fuera por el interés de Europa entera y en particular de Mussolini en acabar con ella lo más pronto posible.

No, Franco no es capaz de resolver el problema que se planteó. No tiene siquiera actualmente una idea clara de lo que quiere. Algunos que han tenido la ocasión de tratarlo durante estas últimas semanas, me aseguran que, frente a las propuestas que le hacen constantemente sus colaboradores para resolver de una buena vez el problema político español, él se encierra sistemáticamente en una negación obstinada y suspicaz, y rechaza todo gesto que pudiera significar una toma de posición o definirse en una dirección cualquiera. Franco, increíblemente inferior al papel que ha querido atribuirse, es un hombre aplastado por la amplitud de la catástrofe que ha provocado él mismo, y, arrastrado por el mecanismo fatal de la guerra, anda a tientas sin saber adónde va. Le tiene auténtico y justificado pavor a las resoluciones de índole política. Consciente, por lo que parece, del daño irreparable que ha causado a España haciéndola vasalla del imperialismo de las potencias totalitarias, es hoy en día totalmente incapaz de tomar ninguna decisión y espera que sus propias tropas le indiquen el camino a seguir. ¡Qué despreciable debe parecer a los ojos de Mussolini o de Hitler!

Después de la toma de Tarragona, Franco ha dirigido una alocución al pueblo catalán. Era el mejor momento para dar, cercano el final de la guerra, un paso decisivo. Pero, en esta alocución el arrogante «caudillo» no arriesgó la menor afirmación de carácter político. Se contentó con suprimir, por primera vez, los lugares comunes del nacional-sindicalismo y del Imperio español, sin renunciar a otorgarse el título de «cruzado» –con la esperanza de que el Papa no tarde demasiado en denegarle este honor– y con ofrecer a los catalanes un paraíso instalado en la reforestación y las casas baratas.

LAS POSIBILIDADES QUE QUEDAN

28 DE ENERO DE 1939

El avance nacionalista no es consecuencia de una victoria, sino de un forzado repliegue del Ejército republicano por su manifiesta inferioridad de recursos. Esto significa que los ciento cincuenta o doscientos mil hombres que el Gobierno Negrín había conseguido movilizar siguen constituyendo un Ejército, y un Ejército intacto. Este evidente hecho debe ser tenido en cuenta en cualquier previsión relativa al futuro inmediato.

Desde Puigcerdà a San Feliu de Guíxols, pasando por Berga y Vich, el Ejército republicano puede aún establecer una línea defensiva con la que, compensando su inferioridad con las ventajas del terreno y la reducción del frente de batalla, podría resistir durante algún tiempo sin jugarse el todo por el todo en una batalla perdida de antemano. Está claro que tal resistencia no puede durar indefinidamente. Mas no olvidemos que, tras la caída de Barcelona, el problema de la guerra civil española se planteará en términos nuevos, no solo como problema interno de España, sino también como un asunto internacional.

Una vez instalado Franco en Barcelona, ya no será posible mantener por más tiempo el equívoco de la no-intervención que ha permitido acabar con la República. ¿Continuarán las divisiones italianas la conquista de todo el territorio español, casa por casa, porque Franco no es capaz de reducir por sí mismo el último cantón? ¿Se retirarán estas mismas divisiones tras haber instalado triunfalmente a Franco en Barcelona, como, según se dice, le ha prometido Mussolini a Chamberlain, o deberán una vez más entronizar a Franco en cada granja o en cada cortijo de Gerona o de Jaén? Si esto ocurre, es muy probable que mientras tanto los Estados Unidos, por ejemplo, juzguen que ha llegado el momento de poner fin a la neutralidad y al embargo de las armas y decidan procurar material de guerra suficiente a los doscientos mil hombres refugiados en la vertiente de los Pirineos y a los doscientos mil que ocupan una parte de Andalucía, de Extremadura, de Castilla y de las provincias de Murcia y Valencia. Franco avanza en Cataluña gracias a la indiscutible superioridad del material que le proporcionan Alemania e Italia, pero mientras siga habiendo en la España republicana medio millón de hombres dispuestos a tomar las armas, el problema está en saber si existe o no alguien dispuesto a entregar a estos hombres las armas que necesitan. De ello depende la suerte de Franco.

Las divisiones motorizadas italianas y la artillería alemana son las que le han dado a Franco la victoria. Medios materiales equivalentes habrían dado o darían la victoria a los republicanos, que, al carecer de ellos, tienen que batirse en retirada. Pero mientras no hayan sido aniquilados, el problema seguirá estando presente.

Mussolini ha afirmado que cualquiera que proporcione material de combate a los republicanos españoles corre el riesgo de desencadenar una guerra. Francia e Inglaterra, que bajo ningún concepto quieren dar motivos a una conflagración que sería una catástrofe definitiva para toda Europa, pueden abstenerse de intervenir tanto tiempo como lo exijan sus principales intereses y su prestigio de grandes potencias. Pero, ¿cuánto tiempo? De un día para otro, la situación internacional puede cambiar radicalmente.

Lo principal para España es mantener intacto a su Ejército por el mayor tiempo posible, tanto en el territorio nacional como fuera de España si las circunstancias así lo exigen. ¿Por qué no? De la misma forma que las fuerzas de Wrangel y de Denikin pudieron unirse en Gallipoli tras haberse visto obligadas a abandonar el territorio ruso, los quinientos mil españoles que no están dispuestos a someterse a la dominación de Franco merecen encontrar una tierra de asilo.

Estos quinientos mil españoles que siempre serán lo mejor de España no pueden ser aniquilados. Han luchado, luchan y lucharán tanto tiempo como les sea humanamente posible, con una valentía y una tenacidad pocas veces igualada. Si la intervención extranjera los aplasta, si los tanques y la artillería del invasor consiguen expulsarlos de los últimos recovecos de la patria, no pueden ser condenados a un horrible sacrificio que sería un atentado contra la humanidad.

Franco y sus aliados aspiran a aniquilarlos físicamente, uno por uno. Saben que solo de este modo conseguirán perpetuar su actual triunfo. Mientras subsista este núcleo auténticamente español que forman los defensores de la República, aunque sea desarmados, vencidos y obligados a expatriarse, la victoria de Franco seguirá siendo precaria y transitoria. De ahí las ejecuciones masivas en todos los pueblos y granjas ocupados por los nacionalistas. Ahora es cuando va a desvelarse el verdadero carácter del régimen que Franco quiere imponer en España. Tan pronto como sus tropas hayan ocupado Barcelona, la solidez de este monstruoso conglomerado que constituye el franquismo va a ser puesta a prueba. Hasta ahora ha sido posible mantener el equívoco de la adhesión total de esta enorme masa amorfa que constituye la España nacionalista a Franco, al falangismo y a la intervención italiana. Pero a partir de ahora, Franco debe elegir su camino, y dependiendo de su elección, la España nacionalista podrá pronunciarse, quizás no con libertad absoluta, pero al menos sin la presión que la guerra supone. Es posible que dentro de poco veamos cómo se descompone el bloque nacionalista. A partir de hoy se encuentra planteado el problema fundamental de la España nacionalista: el de la forma de gobierno. Está claro que Franco deberá pronunciarse finalmente en favor o en contra de la restauración monárquica. Este solo hecho puede cambiar radicalmente el panorama de España. Cuando la cuestión se plantee, es muy probable que una parte de las fuerzas que ahora apoyan al caudillo lo abandonen.

Muchos monárquicos parecen estar hoy más convencidos que los propios republicanos de que Franco representa un obstáculo para la restauración. ¿Qué pasará entonces? ¿Qué ocurrirá cuando se admita el hecho, que hoy se nos antoja paradójico, de que un príncipe tiene más posibilidades de ser coronado en Madrid por el Dr. Negrín o por el general Miaja que de instalar su trono sobre las arenas movedizas de la revolución nacionalsindicalista proclamada en Burgos?

El aparente triunfo de Franco no soluciona el problema de España, pero lo plantea en términos nuevos y más precisos. Para resolverlo, llegado el día, lo verdaderamente importante es que no se haya producido una gran masacre. Esta gran masacre sería la de permitir no ya la victoria de Franco, sino la consolidación de su victoria por el único medio del que Franco y sus aliados disponen para imponerse definitivamente: la ejecución de cientos de millares de hombres que convertiría a España en un inmenso cementerio.

Es necesario salvar a este Ejército de la República al que le han negado la victoria. Es todo un pueblo.

En el futuro, sus posibilidades pueden ser enormes.

EN ESPAÑA. LAS POSIBILIDADES DE LA MONARQUÍA

4 DE MARZO DE 1939

TRAS el triunfo de Franco, las esperanzas europeas de resolver definitivamente el problema español, sin poner en peligro la paz en el mundo, pasan por la posible restauración de una monarquía capaz de saldar la hipoteca de la independencia nacional que el partido vencedor ha contraído, como precio de su victoria.

La confianza de Europa en los españoles es halagadora, pero quizás excesiva si consideramos la fuerza del sentimiento de independencia nacional en España. Cualquiera que sepa un poco de historia ha de recordar que de Viriato a Díaz, *el Empecinado*, este sentimiento fue patrimonio exclusivo de las clases populares y no de las clases aristocráticas, que nunca han sabido librarse del yugo extranjero ni han tenido el menor reparo en despreciar a la patria cuando la necesidad así lo exigía.

La leyenda de la orgullosa independencia de los españoles tiene como única base histórica la insobornable fidelidad a las raíces nacionales de un pueblo en constante y sincera rebeldía contra unos dirigentes de Estado que invariablemente le han traicionado. En España, los verdaderos héroes de la independencia nacionalista fueron siempre los *guerrilleros*, los francotiradores, los *rojos*, podríamos decir. Con los rojos vencidos y humillados, ya no es sensato hacerse demasiadas ilusiones sobre la independencia de España.

* * *

Derrocada la República, parece claro que al Estado totalitario representado por Franco, vasallo de Alemania y de Italia, solo se le puede oponer una institución nacional: la monarquía española. Pero, ¿cuáles son actualmente las posibilidades de la monarquía en España?

Los falangistas, alma del nuevo régimen, consideran que la monarquía es una institución que ya ha cumplido su misión histórica. Según Primo de Rivera hijo, se trataba de una institución completamente extinguida. Para el falangista, el monárquico pertenece a lo que en los países totalitarios se denomina la «fauna residual». De hecho, el monárquico que se ha unido dócilmente al movimiento dirigido por Franco ha adoptado ante el falangista la misma actitud humilde y sumisa que, en el otro bando, el republicano liberal observa ante el comunista. Pensar hoy que los monárquicos son los ganadores es un tanto pueril. Para comprobarlo, basta con examinar con serenidad las fuerzas monárquicas que han sobrevivido.

La monarquía se hundió en 1931 porque se quedó repentinamente sin el apoyo del Ejército, el único con el que contaba. Más concretamente, la monarquía fue traicionada por dos jefes militares que habían gozado de sus favores: Franco y Sanjurjo. A partir de ese momento, no quedó ni un soldado capaz de desenvainar su espada para defenderla. Tras la retirada del Ejército, la caída de la monarquía era lógica: la única fuerza verdaderamente monárquica en España era el *tradicionalismo*, es decir, los requetés de Navarra, adversarios irreductibles de la monarquía liberal alfonsista, que les había vencido en las guerras civiles del siglo XIX.

Sin el apoyo de los militares, con la enemistad de los carlistas y con el desafecto de los liberales desde la Dictadura de Primo de Rivera, la monarquía española estaba condenada a sucumbir sin oponer la menor resistencia. Aún hoy, incluso tras la terrible experiencia de la guerra civil, ninguno de estos tres elementos –liberales, tradicionalistas y Ejército– parece dispuesto a la restauración de la monarquía y del monarca. Para los españoles, sean cuales sean sus convicciones políticas, la idea de un posible regreso al trono de Alfonso XIII es completamente grotesca.

Ya en el momento de la proclamación de la República apenas quedaban monárquicos. Las clases socialmente conservadoras dejaron a un lado la cuestión de la forma de gobierno y quisieron avenirse con el nuevo régimen; incluso los católicos, dirigidos por la Compañía de Jesús y por Acción Católica, decidieron apoyar a la República con la esperanza de apoderarse de ella y convertirla en una república clerical y reaccionaria. La propaganda revolucionaria del partido comunista, que ejercía sobre la reciente República una presión asfixiante, fue el pretexto de las primeras tentativas de reacción que, con el alzamiento del general Sanjurjo en Sevilla, se produjeron bajo el símbolo y la bandera de la República. En la lucha a muerte que se entabló entre revolución y reacción, el problema de la monarquía ni siquiera fue planteado.

Los monárquicos alfonsinos, algunas docenas de aristócratas, casi todos de nobleza reciente, amigos personales o servidores directos del rey destronado, se agruparon para formar el clan de la *Renovación española*, cuya única fuerza real era un importante órgano de opinión, el diario *ABC*, propiedad del célebre marqués de Luca de Tena. Este pequeño clan no gozaba de ningún apoyo sólido por parte del pueblo español, y su acción habría sido nula de no haber sido porque sacrificó su alfonsismo para pedir ayuda a la única fuerza monárquica popular que ha existido en España: los tradicionalistas, los antiguos carlistas, los famosos requetés. Así se formó la T. Y. R. E. (Tradicionalistas y Renovación española), cuyo líder parlamentario fue Calvo Sotelo.

A pesar de todo, los monárquicos siguieron teniendo un papel insignificante en la tragedia política española. La Confederación de derechas autónomas (C. E. D. A.), presidida por Gil Robles, era la verdadera fuerza reaccionaria enfrentada a las tendencias revolucionarias de la República. Los monárquicos, alfonsinos o carlistas, unidos o separados, eran simples figurantes.

Cuando en 1936 los generales se rebelaron, lo único que pretendían era hacerse con la República para luego poder gobernar desde ella. El fracaso del golpe de Estado indujo a los militares a pedir la ayuda del fascismo internacional para emprender y mantener la guerra civil. De manos del falangismo español, cayeron en las garras del fascismo italiano primero y del nacionalsocialismo alemán después. En cambio, nunca confiaron ni en la monarquía ni en los monárquicos, a los que alejaron sistemáticamente de los puestos de mando, limitándose a arrebatarles su dinero, su bandera y su himno, con el fin de camuflar la tendencia extranacional que el movimiento militar estaba adoptando. En la España de Franco, ser monárquico equivalía a ser sospechoso. El marqués de Luca de Tena, el más ferviente de los alfonsinos, se vio obligado a ceder la dirección política de su diario a un joven de la Falange; Quiñones de León y el duque de Alba operan hoy en el extranjero bajo la estrecha vigilancia de algunos hombres de confianza del falangismo, arriesgándose a ser repudiados en cualquier momento.

De todos modos, en el transcurso de la guerra se ha manifestado un hecho incontestable. Las únicas tropas españolas con las que Franco puede contar son las del tradicionalismo, los requetés de Navarra. Aparte de los moros, los legionarios extranjeros, las divisiones italianas y los técnicos alemanes, los requetés son los únicos que están luchando valientemente «por Dios, por la patria y por el rey». Dado que los requetés combaten mejor que los falangistas (útiles para la represión en retaguardia e inútiles para la guerra en el frente), el general Franco no puede dejarlos fuera del Gobierno del Estado como ha hecho con los monárquicos alfonsinos, por lo que se está esforzando en despojarlos de sus ideas monárquicas, obligándolos a afiliarse a la Falange para crear un partido único que, con el nombre de «Falange española tradicionalista», se alzará con el poder político en el Estado totalitario.

Con esta tosca maniobra, la única fuerza realmente monárquica que existía en España se ve desvirtuada y fatalmente unida a la aventura del fascismo. Para incorporar a los monárquicos tradicionalistas al fascismo, Franco emplea un singular argumento que consiste en identificar el absolutismo antiliberal, antidemocrático y antiparlamentario de la antigua monarquía con el Estado totalitario. Pero entre la anacrónica pervivencia de la España imperial que representa el tradicionalismo y ese producto revolucionario de importación que es la Falange es imposible construir un entendimiento duradero. Unidos por la guerra, estos dos dispares elementos solo permanecerán unidos mientras dure la guerra. La única característica que tienen en común es, en el terreno internacional, su odio por las potencias occidentales: Francia y, más concretamente, Inglaterra.

¿Cuál es pues la monarquía con la que se espera resolver satisfactoriamente el problema internacional originado por la guerra civil? ¿La de los *tradicionalistas*? ¡Grave error! En España una monarquía tradicionalista solo conseguiría llevar a los españoles a una guerra contra las potencias occidentales, en cuyo detrimento se intentaría resucitar ese Imperio español del siglo XVI del que todavía se atreve a hablar el general Franco.

No existe, sin embargo, otra posibilidad de restauración en España. Los alfonsinos, partidarios de una monarquía liberal, constitucional y parlamentaria, no cuentan, pues apenas existen. No hace mucho formaban unas cuantas docenas de familias aristocráticas y terratenientes que se han arruinado con la guerra civil y que ahora están evolucionando o desapareciendo. Algunos se han convertido al falangismo, otros al tradicionalismo; el resto, poco a poco, se irá refugiando en París o en Londres para conspirar junto a los republicanos contra el Estado totalitario.

Actualmente siguen prestando al general Franco un caluroso apoyo porque creen posible el triunfo de una mistificación dinástica que han planeado con esmero y gracias a la cual don Juan, hijo de Alfonso XIII, podría acceder al trono, no ya como heredero legítimo de su padre y de su linaje, sino como príncipe de los *tradicionalistas*, únicos monárquicos con los que Franco habrá de contar, pues son ellos quienes le han dado la victoria. Sin ellos, sin los requetés, Franco solo habría podido alinear a soldados extranjeros.

Dado que el heredero de la rama carlista, don Alfonso Carlos, murió sin dejar descendencia, se afirma que la herencia tradicionalista corresponde a la rama alfonsista, representada en la persona del infante don Juan, pues de otro modo habría que ir a buscar un heredero legítimo a la dinastía borbónica, en cuyo caso el trono sería ocupado probablemente por un príncipe de la familia Borbón-Parma. Tal mistificación, que consiste en hacer pasar al hijo de Alfonso XIII por príncipe carlista, es la única esperanza de los partidarios de la restauración monárquica en España.

Dicho de otro modo: para que fuera posible la restauración con la que sueñan los gobernantes ingleses y algunos gobernantes franceses, sería necesario, en primer lugar, que los tradicionalistas se impusieran a los falangistas abortando la revolución nacionalsindicalista, acabando con la tutela italiana y derrocando a Franco; y, en segundo lugar, que el infante don Juan, candidato de los tradicionalistas, traicionara a estos últimos para convertir la monarquía absolutista, antiliberal, antiparlamentaria, imperialista y germanófila, por la que los requetés han luchado, en una monarquía liberal que, como la monarquía alfonsista, se mueva en la órbita de las potencias occidentales.

La operación es muy complicada. Se trata nada menos que de arrebatar la victoria a los dos sectores de la opinión española que han ganado la guerra, falangistas y tradicionalistas, para beneficiar a un reducido grupo de monárquicos alfonsinos que no han sabido imponerse en la lucha y que solo han conseguido hacerse perdonar sus errores pasados a base de sumisión y de sacrificios financieros.

No hay que hacerse ilusiones. Una monarquía tal y como la conciben los ingleses solo sería posible en España si Inglaterra pudiera y quisiera crearla e imponerla con los mismos procedimientos que han utilizado Alemania e Italia para crear e imponer el Estado totalitario.

En cuanto al verdadero deseo de los españoles, todo lo que se está diciendo es completamente superfluo. Esperemos hasta el momento de la desmovilización. Quizás entonces empecemos a oír en España alguna voz con acento verdaderamente español.

LOS ACONTECIMIENTOS DE MADRID Y SU IMPORTANCIA

18 DE MARZO 1939

PARA el futuro de España, la última fase de la guerra civil española tiene una importancia decisiva que quizás hasta ahora no ha sido debidamente valorada. Esto no quiere decir que la creación del Consejo de Defensa, la ruptura entre republicanos y comunistas, la sangrienta batalla callejera que ha tenido lugar en Madrid y la victoria del general Miaja puedan cambiar en algo el resultado inmediato de la guerra, a saber, la instauración en toda España del régimen impuesto a los españoles por el general Franco con el apoyo militar de Alemania e Italia.

El general Miaja no solo no conseguirá una paz honrosa, sino que ni siquiera intentará salvar una sola vida humana de la venganza del triunfador, y menos aún convencerá a este para que ponga fin a la tutela de sus aliados extranjeros, único medio de conseguir algún día el restablecimiento de la unidad nacional. El Gobierno de Burgos, obediente al mandato de sus aliados y como recompensa a su victoria, debe sacrificar implacablemente todo aquello que en España sea hostil a la injerencia italo-alemana; por muy nacionalista que se proclame, el Gobierno de Burgos no duda en extirpar de la nación aquellos elementos que, aun siendo auténticamente españoles, están en el punto de mira de los compromisos internacionales que tan disparatadamente ha contraído.

*   *   *

Es cierto que, hasta el momento, el general Franco no ha entregado ninguna parcela del territorio nacional; pero es indiscutible que la nación entera ha quedado al servicio de un poder extranjero, del imperialismo de las naciones de régimen totalitario, pues son estas las que en definitiva deciden la paz o la guerra, las que conceden o niegan el derecho de ciudadanía, las que fijan la condición y el futuro de los españoles. En España es posible hoy declararse adversario del general Franco, pero no de Hitler o Mussolini. Es posible posicionarse contra la *Falange española*, pero no se puede ser español y hacer frente a la *Gestapo* o a la *Ovra*.

Esto se hará patente a los ojos del mundo entero gracias al último episodio de la guerra civil, al que acabamos de asistir. Desde el principio de la lucha, el general Franco no ha dejado de alzar el estandarte anticomunista. Se pretendía demostrar que la República española había caído en las garras de Moscú y que, para liberar a la civilización occidental del azote de la revolución bolchevique, el general Franco proclamaba con razón la guerra santa, destrozaba las ciudades, despoblaba los campos y finalmente permitía la invasión del territorio nacional por los ejércitos extranjeros. Todo antes que aceptar los horrores del comunismo.

Pero al cabo de treinta y dos meses de guerra atroz, se ha comprobado que dentro de la República existen fuerzas nacionales suficientes para combatir el comunismo, y que un antiguo general republicano, con la ayuda de unas cuantas docenas de oficiales y de hombres de buena fe, puede acabar de un simple manotazo con la amenaza comunista que ha servido de excusa para arruinar la nación y someterla a la tutela de las potencias extranjeras. ¿Hay alguien que pueda negar esta evidencia?

*   *   *

Se ha objetado que no es la Junta de los generales Miaja y Casado la que ha reducido al comunismo, sino que son las continuas victorias de Franco y sus aliados las que han hecho vacilar en España el poder de los Soviets, hasta el punto de conseguir ponerlo a merced de la reacción más insignificante. No está tan claro. El comunismo, que nunca fue una tendencia verdaderamente española, había perdido la batalla en España hace ya más de dos años. Lo que permitía mantener su aparente predominio era precisamente la agresión del fascismo internacional contra la República, agresión que obligaba a los republicanos a buscar el apoyo de la URSS para no sucumbir. Fueron Franco y sus aliados alemanes e italianos los que transformaron en comunistas a españoles que nunca lo habían sido. Toda la propaganda nacionalista en el extranjero se basa en esta mistificación, que ha puesto de acuerdo a Franco con los propagandistas de la Tercera Internacional. La *España roja* es una creación artificial de Roma y Berlín, puesta en marcha para favorecer sus ambiciones imperialistas en el Mediterráneo y para asegurarse la irresponsable ayuda de los ofuscados y carentes de sentido político militares españoles.

* * *

Lo que acaba de intentar el general Miaja habría podido suceder hace dos años si el general Franco se hubiese preocupado más de la independencia y del bienestar de España que de la aventura imperialista de las potencias totalitarias. Es más, el mismo día que estalló la sedición militar –ya es hora de decirlo en voz alta–, el Gobierno de la República intentó negociar con los insurrectos para librar a la patria de la irreparable catástrofe de la guerra civil. Ése era el único objetivo del Gobierno creado en aquel momento por Martínez Barrio. El general Miaja, titular provisional del Ministerio de la Guerra, entró en conversaciones ese mismo día con el general Mola para pedirle más o menos lo mismo que le ha pedido al general Franco hace una semana: una digna capitulación. Pero el proyecto de los generales sublevados no era gobernar España en el tradicional marco del Estado español, republicano o monárquico, como tampoco lo era luchar contra el comunismo, era más bien el de imponer a España, aliada con las potencias totalitarias y lanzada en la misma aventura que ellas, la reconstrucción de su Imperio en detrimento de las potencias democráticas, a saber, Inglaterra y Francia. Por esta extravagante elucubración es por la que España ha sido sacrificada.

Por eso se entabló la guerra civil, a pesar de que los republicanos de izquierda estuviesen dispuestos a ceder el poder a los generales y a las clases conservadoras de las que se proclamaban mandatarios. Por eso fue imposible la mediación. ¿Una mediación entre quiénes? ¿Entre los españoles? Sí, entre ellos la mediación habría sido posible, pero no entre unas potencias extranjeras de ambiciones imperialistas y un pueblo no resignado a ser utilizado como instrumento. Por esta razón todo ha sido inútil, todo, incluida esta última encarnación de la República en la junta presidida por el general Miaja y la lucha emprendida por esta misma junta contra el comunismo, creyendo ingenuamente que era realmente el anticomunismo el que había empujado a Franco a seguir con la guerra de exterminio en su propio país.

El anticomunismo no es más que una tapadera; es el disfraz tras el que se esconden las ambiciones de un conjunto de potencias belicosas que acuden al Pacto *antikomintern* para justificar sus abusos de poder. Así ocurrió en España. El general Miaja, el profesor Besteiro y los patriotas republicanos que creyeron erróneamente en las consignas de Franco comprobarán con estupor que, a pesar de haber anulado el comunismo mediante la violencia, siguen siendo atacados incluso con más fuerza que antes. El comunismo ya no es la bestia negra; el monstruo que hay que abatir es, a partir de ahora, el liberalismo.

Hace algunos meses, mantuve una breve discusión con una distinguida personalidad británica, lord Phillimore, que pretendía demostrar que el general Franco no se había sublevado, que no había declarado la guerra al liberalismo, sino al bolchevismo, y que una vez vencido este, los liberales españoles podrían avenirse con el régimen franquista. Será interesante analizar las vivencias de los liberales españoles que, durante estos días, se han enfrentado al comunismo en las calles de Madrid creyendo que quizás lord Phillimore tenía razón.

* * *

La ruptura entre republicanos españoles y comunistas servirá, pues, para mostrar al mundo entero la verdad sobre el Estado español creado por Franco y apoyado por Alemania e Italia.

Desde este punto de vista, la importancia del dramático episodio vivido en Madrid es incontestable. Nadie podrá, a partir de este momento, albergar la mínima duda sobre el significado del Estado totalitario español, ni los liberales españoles, ni los bienintencionados conservadores ingleses.

Pero esto no tiene, por supuesto, ninguna consecuencia inmediata. El final de la guerra, repetimos, será el previsto: la instauración del Estado totalitario impuesto por Franco con la ayuda del armamento alemán e italiano. Pero quizá sea de la sangre derramada por los patriotas republicanos en las calles de Madrid de la que nazca, con el tiempo, la mayor fuerza de liberación.

¿QUÉ PRETENDE EL IMPERIALISMO ESPAÑOL?

25 DE MAYO DE 1939

El gran desfile de la Victoria que ha tenido lugar el 19 de Mayo en las calles de Madrid ha llevado al primer plano de la actualidad un hecho nuevo que hay que aceptar, al menos por el momento, como la consecuencia inmediata de la guerra civil: el Imperio español.

El general Franco ha pretendido que este espectacular desfile signifique algo más que el fin de la lucha fratricida y el comienzo de una era de paz, que tanto necesita España; deliberadamente ha querido darle un sentido abiertamente militarista presentándolo como el punto de partida de una nueva aventura titulada: «El Imperio español». Para ello el Generalísimo se ha presentado ante el mundo con gran pompa, a la cabeza de 250.000 hombres, rodeado de los estandartes del Cid, de Fernando III el Santo, de los Reyes Católicos y de los «conquistadores» de América. Todo el pasado guerrero y conquistador de España, las banderas que ondearon en la batalla de Las Navas de Tolosa y de Clavijo, el Cristo de Lepanto, el Santo Grial y la Cruz Victoriosa de Alfonso III, todo ha sido exhumado para crear una atmósfera imperial alrededor de este hombre en cuyo honor los monjes de Silos han entonado la antífona del siglo VI reservada a la recepción del Príncipe, según la liturgia del «Liber Ordinum». El fuego de la Victoria se ha encendido este día en Madrid con la llama de la lámpara votiva del Gran Capitán, que está siempre ardiendo en Santiago de Compostela. A Franco no le basta haber ganado la guerra civil. Él quiere crear un Imperio.

Los recientes discursos del mismo generalísimo, las declaraciones de sus ministros y la propaganda de sus emisoras de radio que desde el fin de la guerra repiten todas las tardes a los españoles su voz de alerta nos hace imposible el creer que la derrota de la República haya hecho desaparecer el peligro de perturbación que significa para Europa el problema español.

¿A dónde va el general Franco?

Según las declaraciones que ha hecho estos últimos días y según los órganos autorizados de su propaganda, los objetivos esenciales del nuevo régimen impuesto a España son dos, a saber:

1º. La revolución nacional sindicalista;

2º. La restauración del Imperio español.

¿Puede el general Franco alcanzar estos dos objetivos? ¿Son posibles en el cuadro de las condiciones actuales de España?

En cuanto a la revolución nacional-sindicalista que predica el ministro del Interior, Serrano Súñer, existe ya; no es otra cosa más que la versión española del régimen nacional-socialista alemán. En cuanto a la restauración del Imperio español del siglo XVI, es una idea discutida por numerosos buenos patriotas españoles.

Desde hace cuarenta años, es decir desde la guerra contra Estados Unidos y la pérdida de las colonias que supuso para España, una idea común a todos los españoles honestos e inteligentes era el reconocer la inferioridad actual de España. Este rigor intelectual impuesto por una serie de catástrofes nacionales debidas a la desproporción que siempre ha existido entre las fuerzas reales de España y la amplitud de sus empresas, es en realidad lo que divide a los dos partidos españoles. Contra esta percepción de los verdaderos límites, el general Franco, obsesionado por el imperialismo naciente en los países totalitarios, resucita la idea de este Imperio que no es más que una voluntad de poder desprovista de base real.

¿Cuáles pueden ser los objetivos de este imperialismo? En la Península solo hay dos reivindicaciones posibles: Portugal y Gibraltar. Portugal mira ya con recelo a estos vecinos sin moderación y, prudentemente, se aleja de ellos. Gibraltar, es evidente que solo pasaría a manos de los españoles después de una guerra mundial que perdiera el Imperio británico. En África del Norte la expansión imperial española no es otra cosa que el vehículo del auténtico imperialismo alemán y el instrumento de la propaganda revolucionaria nazi entre el mundo islámico para levantarlo contra las potencias democráticas. Esta función, humildemente realizada por los militares españoles, que consiste en abrir las puertas de Marruecos y del Sahara a los agitadores alemanes, no tiene nada de imperial.

Y como no cabe imaginar que el actual duque de Alba se dedique, como su antepasado, a la conquista de los Países Bajos o de otros países europeos no le queda otra al imperialismo español que proyectar su espíritu sobre el mundo de la lengua española con la esperanza de ejercer un día una especie de tutela espiritual sobre las dieciséis repúblicas americanas de origen hispánico.

Esta ambición de constituir una unidad espiritual con los pueblos del otro lado del Atlántico es un viejo proyecto español que no fue en los tiempos de la monarquía y de la República más que una aspiración platónica expresada invariablemente en los discursos pronunciados con motivo del «Día de la Raza», es decir, del aniversario del descubrimiento del Nuevo Mundo por Cristóbal Colón. Pero ahora que se ha creado en Burgos el nuevo Estado español, declarándose heredero del Imperio de Carlos V, comienza a esbozarse, como su única misión imperial posible, la reconquista espiritual de los pueblos hispano-americanos que los nacionalistas españoles de hoy quieren ganar a la nueva del nazismo llevando esta vez a América una cruz «que no es la cruz de Cristo» –tal como la ha definido el Papa Pío XI– sino la cruz gamada del paganismo germánico.

Sobre la base del hispanismo, se pretende utilizar el fermento de los nacionalismos sudamericanos para construir una superestructura que pronto se convierta en el instrumento de combate contra las potencias democráticas de Europa y especialmente contra la gran democracia norteamericana. Con este fin Franco ha enviado a sus agentes a las repúblicas hispano-americanas para organizar, casi en todas partes, secciones de Falange que, explotando el estrecho nacionalismo de los naturales o manejando hábilmente el sentimiento patriótico de las colonias de los inmigrantes españoles obtienen lo que los alemanes no habían podido por ellos mismos: la nazificación de los pueblos hispano-americanos y la formación en el nuevo continente de un bloque hostil a las democracias capaces de constituir en el futuro un contrapeso a la política liberal de los Estados Unidos.

La madurez política de las principales repúblicas hispano-americanas ha conseguido que los resultados obtenidos por esta propaganda hasta el presente sean mínimos. Es difícil que Argentina, Uruguay o Colombia, por ejemplo, se dejen arrastrar imprudentemente por los excesos del nazismo. Pero en América Central y en América del Sur hay otros estados menos evolucionados políticamente que serán una presa fácil para las maniobras hispano-alemanas. No solo en el continente, también en las Antillas y en las filipinas se quiere convertir el español en un instrumento de penetración de las doctrinas totalitarias. Basta con leer la prensa de la España nacionalista y la de los núcleos falangistas sudamericanos para apreciar exactamente la feroz hostilidad que les anima contra la democracia norteamericana.

Contra esta utilización indigna del hispanismo deben levantarse violentamente los verdaderos españoles de derecha y de izquierda, todos los que creen con orgullo que la lengua española merece un destino más alto que el de ser el vehículo de doctrinas bárbaras que se pretende ahora –tras haber asolado la patria española– proyectar sobre el Nuevo Mundo, utilizando la comunidad de lenguaje como instrumento de comunicación. Nunca Don Quijote había tenido un empleo tan vil.

Este es, por absurdo e improbable que parezca, el único fin posible del triunfo de Franco; a menos que estalle la guerra europea y los españoles sean convertidos en cipayos del imperialismo germánico. Representante del nazismo en América del Sur o mercenaria del nazismo en los campos de batalla de Europa, tal es el triste destino reservado a la España actual.

Solo un acto de contrición puede salvarla.

Si el desfile de la Victoria celebrado el 19 de mayo suponía la liquidación total de la loca aventura de la guerra civil, si los italianos y los alemanes abandonaran definitivamente la Península, si el espíritu español se despojara definitivamente de sus veleidades imperialistas, España, la España inmortal, podría todavía vivir en paz con el mundo, restañar la sangre de sus terribles heridas y cumplir su verdadero destino histórico. Que no es el que otras potencias quieran imponerle.

TRAS EL DESFILE DE LA VICTORIA. MISIÓN DE LA ESPAÑA FRANQUISTA

3 DE JUNIO DE 1939

TRAS el discurso pronunciado por el general Franco el *día de la Victoria* en Madrid, es imposible que exista aún alguien tan ciego como para no darse cuenta de la verdadera naturaleza y del principal objetivo del poder que se ha constituido en España. Nadie tiene ya derecho a equivocarse. La España de Franco persigue dos objetivos concretos que ningún franquista se atreverá a negar o a discutir: la revolución nacionalsindicalista y la restauración del Imperio, la primera dirigida contra la economía liberal y capitalista, la segunda contra la hegemonía de las potencias occidentales. Estos son los dogmas del nuevo Estado.

Por muchas vueltas que les demos, las palabras del general Franco solo dicen esto. Eso sí, siempre podremos encontrar en ellas afirmaciones poco comprometedoras, destinadas a desanimar al adversario y a hacer perdurar el equívoco con el que Franco ha obtenido la victoria y que le permitirá mantenerse en el poder.

Sus partidarios no dejarán de resaltar que Franco ha dicho: «Amamos la paz», pero olvidarán fácilmente que justo después ha añadido: «Pero ante todo amamos nuestra dignidad y nuestra independencia». Ahora bien, ¿quién amenaza la libertad y la independencia de los españoles? ¿Las divisiones italianas que han entrado triunfantes en el territorio español? ¿Los técnicos y combatientes alemanes que van apareciendo subrepticiamente en el Estado español? No. Según el general Franco, la libertad y la independencia de España están amenazadas por la economía liberal y por las potencias capitalistas y democráticas, que pretenden «aislar económicamente a España».

Hace ya algunos meses, escribíamos aquí mismo que, para mantener indefinidamente el régimen que había impuesto en España con el apoyo alemán e italiano, el general Franco no tenía más recurso que inculcar al pueblo español la idea de un peligro exterior y crear un sentimiento de animadversión contra las potencias occidentales, en cuya órbita España ha gravitado desde siempre, primero con la Monarquía, y, más tarde, con la República. El odio a Francia e Inglaterra es la única base capaz de mantener al general Franco en el poder, y es precisamente fomentar de modo artificial este odio lo que le permitirá cumplir el destino histórico que los dirigentes del eje Roma-Berlín le han asignado.

El general Franco no es más que un peón estratégicamente colocado en el tablero europeo por el Estado mayor alemán. El resto no es más que palabrería, y todo lo que Franco pueda intentar para eludir su futura función será completamente inútil. Franco tiene una razón de ser, y se conforma con ella. Las pruebas de amistad, las concesiones y las habilidades políticas no cuentan para nada. Cualquier tentativa de acercamiento basada únicamente en los intereses verdaderamente españoles está destinada al fracaso, ya que desde el primer momento hemos podido observar cómo el Caudillo sacrificaba implacablemente los intereses específicos de su país en beneficio de una superestructura que él denomina Imperio y que no es, a fin de cuentas, sino un instrumento del verdadero imperialismo germánico. Ni las negociaciones hábilmente concluidas sobre la base de concesiones y reconocimientos, ni las reiteradas y halagadoras muestras de respeto que le han sido dadas, ni la llamada a los acuerdos económicos servirán para nada. El camino de Franco está trazado, y solo el curso de los acontecimientos europeos fijará el término de su aventura.

* * *

A partir de esta indiscutible realidad, la torpe propaganda de los republicanos españoles, de los partidos de izquierda de toda Europa y, principalmente, del partido comunista, ha cometido el error de atribuir al general Franco una misión absurdamente desproporcionada y evidentemente falsa. Es grotesco afirmar que el general Franco puede, de un día para otro, declarar la guerra a las potencias occidentales; era absurdo pensar que las tropas alemanas, italianas y españolas se agruparían en la frontera de los Pirineos para invadir el sur de Francia, y nada es más inverosímil que los rumores puestos en circulación sobre un extravagante ataque a Gibraltar por parte de los españoles. Cuando un ciudadano francés o inglés que conserva el sentido de la mesura oye decir cosas como esta, concluye lógicamente que la propaganda antifranquista intenta abusar de su buena fe con absurdas mentiras. En realidad, la única explicación posible de estas toscas campañas de propaganda es que están dirigidas a un público de formación primaria. El general Franco, que ha necesitado dos años y medio de guerra y el apoyo de un Ejército expedicionario germano-italiano para vencer la resistencia de una República desarmada y consumida por las luchas intestinas de los partidos revolucionarios, no puede representar un peligro real e inminente para la paz en Europa. La prueba es que, el pasado mes de septiembre, y ante la inminencia de un conflicto europeo, el general Franco se ha apresurado a dar pruebas de su neutralidad.

Antes era contra la República contra quien tenía que luchar, pero hoy, y aun siendo el dueño absoluto del territorio español, el general Franco no se atrevería, en caso de guerra europea, a abandonar su neutralidad para tomar partido abiertamente contra las potencias que lo dominan geográficamente. ¿Por qué creer que un Estado, por poco inteligente que sea, va a cometer un suicidio semejante? En caso de conflagración europea, y pase lo que pase, el general Franco no declarará la guerra a las potencias occidentales. La mínima vacilación por su parte supondría la destrucción de este Estado español que tanto le ha costado poner en pie, destrucción a la que contribuirían con entusiasmo al menos el cincuenta por ciento de los españoles. Y, por orgullo nacional, no queremos ni pensar que para acabar con Franco bastara con la hostilidad de los portugueses, desencadenada por los sueños imperiales del falangismo al grito de: «Del mar al mar».

¿De qué le serviría a Alemania y a Italia el inútil sacrificio de un aliado cuya colaboración podría ser más que ventajosa en caso de guerra? Franco solo puede ayudar a las potencias del Eje de las que es feudatario manteniendo una ambigua neutralidad que le permita, lo más tarde posible, secundarlas subrepticiamente, aunque sea simplemente obligando a Francia e Inglaterra a vigilar la Península. Esta es su misión. En los Pirineos no habrá guerra aunque estalle la guerra europea. Es lo más probable. En cualquier caso, la *tercera frontera* francesa se encuentra virtualmente cerrada desde el día que los militares españoles pidieron al nazismo que apoyara su golpe de Estado contra la República.

*   *   *

Alemania e Italia no obligarán a Franco a firmar una alianza militar *a vida o muerte* como la que acaban de firmar esta semana entre ellas. Algunos técnicos militares ingleses consideran que la entrada de Italia en una eventual guerra sería una suerte, ya que esto permitiría a la escuadra inglesa centrar la lucha en el vulnerable terreno de la Península italiana; ofrecerles en la Península ibérica otro campo de victoria seguro y rápido sería un exceso de ingenuidad por parte del adversario. El Estado mayor alemán, que no olvida los grandes favores hechos por la España neutral a Alemania durante la guerra, exigirá como pago de su intervención asegurarse de nuevo esta valiosa colaboración, que se haría imposible si Franco se lanzase a la guerra impulsivamente.

Hay que entender, en efecto, que la neutralidad española –condescendiente con Alemania e Italia– no impedirá al Eje utilizar los dos mil kilómetros de costas españolas como base clandestina de aprovisionamiento para sus submarinos: ahí está el ejemplo de la Gran Guerra para demostrarlo. De esta forma, la flota franco-inglesa se vería obligada a establecer una estrecha vigilancia de todas las costas españolas, vigilancia que podría incluso obstaculizar la libertad y la fluidez de las comunicaciones entre Francia y su Imperio africano. Además, ante cualquier orientación repentina de la política española hacia una colaboración activa con las potencias centrales, Francia debería mantener de manera permanente en la frontera pirenaica un contingente de fuerzas lo suficientemente eficaces. Por último, no se puede ocultar que, incluso permaneciendo neutral, la España nacionalista sería, en manos de los dirigentes del Eje, un constante instrumento de agitación respecto a los árabes. Contar con una España neutral y aliada al Eje, sería para los agentes alemanes como tener abierta la puerta de África a través de Tánger, Larache, Ifni, el Cabo Juby y el Río de Oro.

Franco intentará prolongar su neutralidad por todos los medios y el máximo tiempo posible, pues sabe que una imprudente declaración de guerra en los inicios de las hostilidades conduciría a su destrucción fulminante. Para ello, bastaría con la acción de los españoles antifranquistas dentro y fuera del territorio español y, quizás, con la intervención de Portugal. La misión que el Estado mayor alemán puede confiar al general Franco al principio de la guerra no puede ser sino la de mantener su benevolente neutralidad y fomentar en los españoles la hostilidad contra las potencias democráticas, consideradas como enemigas de la libertad y de la independencia españolas. Por muy discreta que fuera, cualquier medida de precaución de Francia e Inglaterra para asegurar sus comunicaciones con África y la libertad de su tráfico mediterráneo sería presentada al pueblo español como un atentado contra la soberanía nacional. Franco se limitaría a desear y a esperar la ocupación de las rías de Vigo o de las islas Canarias por parte de la escuadra inglesa, o la toma de posiciones estratégicas en la frontera pirenaica o en Marruecos por parte del Ejército francés, pues en definitiva esto le serviría como pretexto para lanzar al pueblo español a la guerra.

Está claro que Franco –llegado el momento decisivo– no dudaría en jugarse el todo por el todo y en lanzarse en un ataque desesperado contra las potencias democráticas, pero no es menos evidente que la lucha no tendrá lugar en España, y que tanto Alemania como Italia retrasarán lo máximo posible el sacrificio de este peón avanzado que es para ellas el Estado totalitario español.

Todo esto parte de la hipótesis de que la guerra europea es inevitable: es la carta que el general Franco se ha jugado el 18 de julio de 1936 y que todavía se sigue jugando. Este Imperio español que nadie entiende solo puede construirse sobre la derrota de las democracias. Hay que dar por sentada esta derrota para que tan inconcebible imperialismo empiece a cobrar algún sentido.

La dura realidad es esta: si la guerra europea no estalla, el futuro del general Franco y de España serán veinte años de escasez y de dolor durante los cuales lo único que este desafortunado país podrá hacer será concentrar todas sus energías en educar a una generación más feliz que la nuestra.

LA TRAGEDIA DE ESPAÑA. UNA FAMILIA Y UN IMPERIO

22 DE JUNIO DE 1939

LA ambición imperial que va a convertir a los españoles en feudatarios del imperialismo germánico es la elucubración más extravagante que se le podía proponer a un pueblo de sangre caliente como el español. El Imperio Español no es más que una antigua *voluntad de poder* que siempre ha existido en la nación en estado latente y que, por desgracia, acaba de encontrar su expresión en la confusa terminología del Estado totalitario.

Los nacionalistas españoles, que no conocen la historia de España, piensan que lo que ellos llaman el Imperio Español es la admirable invención de un joven andaluz, José Antonio Primo de Rivera, al que los ardores mesiánicos de nuestro pueblo han atribuido una misión providencial, cosa que quienes lo conocimos personalmente no llegamos a explicarnos. Actualmente se está forjando el mito de José Antonio, creador del Imperio. Ondeando su nombre como si fuese una bandera, algunos españoles con demasiada imaginación se aprestan a la reconstrucción del Imperio de Carlos Quinto y a la reconquista del mundo. Tal aventura sería sencillamente grotesca si no fuera porque las circunstancias internacionales le han dado una trágica apariencia de seriedad.

Pero, ¿quién es este taumaturgo, este creador del Imperio?

No hay que olvidar que José Antonio es, dentro de la familia Primo de Rivera, el salvador de España número dos. El primer salvador de España de esta privilegiada familia fue su ilustre padre, el general Primo de Rivera, contra el que los españoles combatieron con una animosidad convencional, tan convencional como lo fuera la propia Dictadura del general. Primo de Rivera quiso terminar con la incapacidad funcional de la alternancia pacífica de los partidos políticos por medio de un aparato ortopédico rudimentario, dignificado por él mismo con el nombre de Dictadura. Aprovechando un nacionalismo impreciso que, aunque estaba arraigado en las costumbres, las tradiciones y las instituciones seculares del país, no tenía el menor contenido ideológico, este general patriotero y bonachón impuso durante siete años un régimen cuyo único fin era el mantenimiento inmediato del orden público. Con la mentalidad elemental de un guardia civil, como decía Unamuno, creyó sinceramente que estaba salvando a España, cuando en realidad no hacía más que malgastar las fuerzas conservadoras que las instituciones tradicionales del país tenían en reserva; y cuando, concluida la experiencia, se vio exiliado en París, se murió de pena en una habitación de hotel mientras seguía imaginando nuevas fórmulas para la salvación de España, sin darse cuenta de que su pobre y desgraciada tentativa suponía la caída de la monarquía española. Su hijo, José Antonio, creyó que la herencia paterna le obligaba a perseverar en la búsqueda de esta fórmula por *la salvación de España*.

Con la caída del dictador se cerraba en España el ciclo de una evolución política que iba de una guerra civil en otra. Y es que el origen de la influencia de esta famila privilegiada, cuyo último vástago, José Antonio, fue el agente provocador de la última guerra civil, se remonta a las guerras civiles del siglo XIX. El verdadero fundador de la dinastía fue el capitán general don Fernando Primo de Rivera, primer marqués de Estella, militar liberal que se ganó sus estrellas luchando precisamente contra los requetés. Sus victorias sobre los jefes carlistas Elio, Ollo, Lizárraga, Díaz de Roda, Redondo, Radica y Carasa fueron el origen de su fortuna. Todavía hoy, los requetés lamentan en sus canciones populares la pérdida de Montejurra, que Primo de Rivera conquistó para los liberales.

Montejurra, Montejurra
Quién te ha visto y quién te ve:
Ayer, las boinas rojas,
Hoy los quepis de uniforme…

No deja de ser curioso que el descendiente del marqués de Estella, título concedido por la Monarquía liberal como recompensa a la victoria obtenida por el primero de los Primo de Rivera sobre los requetés en la toma de Estella, haya sido el iniciador de esta nueva guerra civil, en la que han triunfado las mismas fuerzas que el fundador de la dinastía combatió de modo tan encarnizado. La parábola descrita por la familia Primo de Rivera en la historia contemporánea de España es significativa.

Los liberales del siglo XIX que, bajo la influencia de la Revolución francesa, derrocaron la tradicional monarquía absolutista e impusieron la Constitución liberal, democrática y parlamentaria, gracias a su victoria sobre los partidarios de Don Carlos –quienes soñaban con el Imperio Español y las provincias de Austria–, son los mismos que, traicionando sus orígenes, han asegurado hoy el triunfo de las fuerzas contra las que en otro tiempo habían luchado.

La familia Primo de Rivera se lo debía todo –fortuna, influencia, título de nobleza– al régimen liberal. La base social del Estado español estaba constituida por algunos cientos de familias como esta, generosamente recompensadas por el Estado liberal, que les confió los puestos de mando de la nación, les dio flamantes marquesados y las enriqueció con el botín de la Iglesia tras la expropiación de los bienes inalienables. Estas familias privilegiadas se transmitían su influencia política de padre a hijo, se repartían las prebendas y ocupaban los puestos más altos del Gobierno. Principal apoyo de la Corona, fueron ellas las que consolidaron la restauración de la monarquía constitucional y las que consumaron la transición de la antigua aristocracia terrateniente y feudal a la nueva burguesía industrial. Pero su incapacidad y su falta de espíritu de sacrificio llevaron a España a una cadena ininterrumpida de catástrofes nacionales, y cuando se dieron cuenta de que, como consecuencia de sus errores, su influencia decrecía mientras aumentaba la de otras clases sociales mejor adaptadas, lo primero que sacrificaron para mantenerse en el poder fue el liberalismo que había sido hasta entonces su razón de ser. Esta fue la misión del general Primo de Rivera –el dictador–, que destruyó el fundamento de la Monarquía, a saber el régimen liberal, para imponer la hegemonía de una clase social en abierta decadencia. Tras el fracaso de este desafortunado intento de dictadura, esas mismas clases privilegiadas, que no se resignaban a ceder su sitio a fuerzas más jóvenes y capaces, llegaron a la conclusión de que no había que contentarse con tirar por la borda el liberalismo, sino también la propia Monarquía: Alfonso XIII fue derrocado por el pueblo sin que se desenvainara una espada, sin que se alzase una voz en su defensa.

Con la proclamación de la República se vinieron abajo las últimas esperanzas de esta clase favorecida, que durante más de un siglo había reservado el poder para algunos cientos de familias de origen liberal cuyo prototipo eran los Primo de Rivera.

Reaccionando intelectualmente contra el nacionalismo marchito y convencional de su padre, el último vástago de esta familia, José Antonio, consumó la traición de su casta. Renegando de sus orígenes y de su raza, estimó que el único medio de apartar a España de su camino y de mantener el poder en manos de esta minoría incapaz que no se resignaba a perder sus privilegios era alejarse de las fórmulas típicamente españolas y someterse inflexiblemente a la técnica de los Estados totalitarios extranjeros cuyas doctrinas y métodos copió servilmente.

La tentativa fascista de este grupillo de amargados dirigido por José Antonio no hubiera sido más que una empresa absurda, sin la menor base nacional y por completo ajena a la realidad de la vida española, si no se hubiera encontrado con un doble apoyo que la hizo viable. El falangismo español era la reacción más frágil e insensata que imaginarse pueda, pero aparecieron dos fuerzas auténticamente nacionales que apoyaron y aseguraron su triunfo: el *tradicionalismo* y el Ejército. Estas dos fuerzas –los requetés y los militares– constituyen la única realidad de este conglomerado híbrido al que se denomina la España nacional: si Franco ha ganado la guerra a pesar de la conocida ineptitud de los falangistas en el combate, ha sido gracias a ellas.

El falangismo de Primo de Rivera ha vivido, y sigue triunfando, a expensas del tradicionalismo. Los requetés se han dejado matar heroicamente en la guerra civil no en favor del triunfo definitivo de sus ideas y de sus concepciones indígenas, sino para que se les hayan impuesto ideas y concepciones típicamente antiespañolas, propias de un Estado totalitario, revolucionario y anticristiano como el alemán o el italiano. Desde el punto de vista del tradicionalismo puro, la acción del último de los Primo de Rivera ha sido tan funesta como la del primero. Más funesta si cabe, pues las derrotas, en las primeras guerras civiles, dejan intactos los deseos de venganza, mientras que esta confusa victoria en la que se han entrometido elementos revolucionarios y anticristianos desvirtúa a los españoles tradicionalistas y les priva de los rasgos propiamente nacionales que constituían su mayor fuerza.

Nada de esto habría sido posible ni los requetés habrían sido absorbidos y dominados por los falangistas sin la arbitraria decisión de un Ejército que, en el momento decisivo, y sin confiar en esa fuerza auténticamente nacional que es el tradicionalismo, entregó el poder a la entelequia del *falangismo*, aun a sabiendas de que era una simple mistificación, y con la esperanza de que gracias a él obtendría la colaboración armada de las potencias totalitarias. No era fácil que Hitler y Mussolini apoyaran la instauración en España de un poder auténticamente nacional y reaccionario como el *tradicionalismo*, pero sí que se mostraran favorables a la aventura nacionalsindicalista. Los militares españoles, que no tenían la menor confianza en España, depositaron todas sus esperanzas en la ayuda de los Estados totalitarios y, más particularmente, de Alemania. Obcecados en su guerra contra la República, no contaron ni con la Monarquía ni con la reacción puramente española, sino que se sirvieron de la mistificación fascista del joven Primo de Rivera para buscar, por medio de Italia, el apoyo de Alemania, donde, según ellos, se encuentra el mayor arsenal de fuerza de Europa.

Para el nuevo Estado, la incontestable germanofilia de la gran mayoría del Ejército español es un pilar mucho más sólido que la volubilidad fascista de los jóvenes intelectuales adoctrinados por el último de los Primo de Rivera. José Antonio y los que junto a él inventaron esta superchería del falangismo no hicieron más que suministrar a los militares, y en definitiva al general Franco, el instrumento político que necesitaban para meter a España en la aventura imperialista del Tercer Reich y cumplir el viejo sueño militar español de prestar servicio dentro del Ejército imperialista alemán. No olvidemos que, de no ser por la inteligencia de los políticos españoles (a los que los militares odiaban) y por la fuerza de la opinión popular, no se habría podido atajar esta tendencia germanófila del Ejército ni evitar la intervención conjunta de España y de Alemania en la última guerra.

Ya se ha dictado sentencia. Con o sin guerra, España seguirá la misma suerte que Alemania. Las condiciones de su intervención estarán sometidas a las necesidades estratégicas del eventual conflicto. Para esto, y solo para esto, ha habido en España dos años y medio de guerra civil y se ha inventado este bulo del Imperio.

Un Imperio cuya única razón de ser es la ambición frustrada del último descendiente de una familia privilegiada y representativa que, antes que resignarse a perder su influencia, ha preferido renegar de sus orígenes –el liberalismo– y de su patria, sacrificando la independencia nacional en pro de una insensata aventura.

TERROR BLANCO EN ESPAÑA. GESTAPO Y AUTARQUÍA ECONÓMICA

15 DE JULIO DE 1939

COMO desde el fondo de un abismo infernal al que nadie se atreviera a asomarse, suben a la superficie del mundo civilizado los gritos ahogados de quienes están condenados a sufrir y a morir en el infierno de la España nacionalista. Tres meses después del fin de la guerra, las ejecuciones capitales se siguen produciendo diariamente: miles de infelices son sacados de sus hogares por la fuerza para perecer lentamente en los campos de concentración; un pueblo entero tiembla y se humilla bajo el látigo de una minoría implacable. Las cárceles están llenas, y ante la imposibilidad de convertir en cárceles nuevos edificios, más de medio millón de españoles han sido confinados en las playas y en los campos sin cultivar de la Península, dentro de refugios levantados con cuatro maderas, sin más alimento que un puñado de alubias o de garbanzos, vigilados por falangistas que, fusil en mano, los someten a esa terrible tortura moral que es la especialidad del régimen triunfante. *¡Vae victis!*

Este horror que el mundo se niega púdicamente a conocer en su completa y tremenda realidad, por una repulsión instintiva a ahondar en todo lo que rebaja la dignidad humana (hasta tal punto que nadie, ni en los periódicos ni en las asambleas, se atreve a decir una palabra), este horror digo, hay quienes lo imputan a la clásica *crueldad española*, y aquéllos que han puesto el grito en el cielo ante represiones mucho menos atroces, se resignan avergonzados a aceptar que semejantes monstruosidades tienen lugar en España pensando que, dados el temperamento español, la crueldad española y el final de una guerra crudelísima que ha durado dos años y medio, es fatal e inevitable que asistamos a un terrible periodo de venganza y al inexorable castigo del vencido. Nadie se atreve a pensar que contener el brazo vengador de Franco sería un deber de humanidad.

Hay quien cree que el horror de hoy, como la guerra atroz de ayer, proviene del carácter español. Y ante la precavida resistencia de la opinión mundial a dejarse llevar por movimientos sentimentales de solidaridad humana, que suponen actualmente un costosísimo lujo incluso para los pueblos más generosos y civilizados, se termina aceptando que el general Franco actúa –con un estilo que la *leyenda negra* considera genuinamente español– como lo hubiera hecho en esas mismas circunstancias cualquiera de sus antepasados; a fin de cuentas, parece normal que los esbirros de la Falange sean los herederos directos de los esbirros de la Inquisición.

Contra este error histórico se rebela la conciencia de los verdaderos españoles, que asumen la pesada herencia de la clásica *crueldad española* sin renegar de su patria y que no consienten que se pretenda presentar como genuinamente españoles ciertos métodos de represión y una crueldad bárbara, es decir, extranjera, que deshonra y envilece incluso el cruel pasado de España.

Es posible que los falangistas españoles crean que han encontrado en el pasado de la nación un antecedente histórico idóneo para justificar sus actuales crímenes, pero ningún buen patriota español aceptará jamás que se pongan en el mismo plano lo que se está haciendo hoy y lo que hicieron, en los tiempos del imperialismo, nuestros caudillos más inhumanos y fanáticos.

La crueldad española tuvo siempre una importante y profunda razón de ser. El español solo ha matado y torturado en defensa de la Fe y de la universalidad. Nunca hasta ahora se había matado o torturado en España de manera frívola, sin saber a ciencia cierta por qué, sin una doctrina ecuménica que pudiera justificar en la conciencia del español el sacrificio de vidas humanas.

Lo propiamente español es, en el combate, el encarnizamiento feroz, y después, la piedad y el perdón hacia el vencido. Cuando, por razones de doctrina, no se tiene piedad de los cuerpos, se tiene piedad de las almas. Los inquisidores españoles torturaban y quemaban la carne por la salvación del alma. Las torturas de la Inquisición tenían como único fin provocar un acto de contrición salvador. Franco y sus partidarios no pretenden salvar nada del ser que destruyen físicamente. Lo sacrifican en aras de una divinidad monstruosa que ignora al individuo en sí, de un dios bárbaro y primitivo que para nada se preocupa de las almas que le son entregadas como holocausto: el Estado totalitario, ser monstruoso para el que el individuo –cuerpo y alma– no existe.

La crueldad bárbara y primitiva que Franco practica ante el mundo entero no ha sido nunca la crueldad de los españoles. Es la crueldad de la horda victoriosa, la crueldad de una banda de sicarios que jamás podrán compararse con los oficiales del Santo Oficio, la crueldad de los agentes de la Gestapo.

Tras la victoria, el general Franco y las fuerzas nacionales que se alinearon en su bando habrían podido, sin el menor riesgo, abrir los brazos a esa España que les había sido hostil y que había luchado desesperadamente contra ellos durante dos años y medio, con la seguridad de que el español, que sabe perder, habría aceptado tanto más lealmente la dominación del vencedor cuanto más generosa hubiese sido la paz. Cabe pensar que esta vez, si no el propio general Franco, la inmensa mayoría de los españoles que lo han apoyado habría sido partidaria de un desenlace bélico que hubiera permitido que se integraran en España el millón y medio o dos millones de españoles que van a ser amputados del cuerpo nacional. Pero los que superaron triunfantes el desafío de la guerra no se han atrevido a enfrentarse al desafío de la paz, de una paz que, tras la victoria, no debería habérsele negado a ningún elemento auténticamente nacional. Esta *paz española* solo hubiera resultado fatal a lo que, en el nacionalismo de Franco, no era verdaderamente nacional. Las potencias totalitarias han querido asegurarse una fianza de la sumisión de España a sus designios imperialistas. Esta fianza es precisamente el mantenimiento indefinido del estado de guerra civil, un estado que los españoles, por sí mismos, no hubieran perpetuado, y que ya no existiría de no ser por la intervención en España de ese Poder extranacional que, tras la marcha de las tropas italianas y alemanas, garantiza que España seguirá siendo sacrificada en aras de la aventura imperialista de las potencias totalitarias. Ya hemos hablado de la policía política del Tercer Reich, asistida por equipos técnicos de economistas, comerciantes, industriales, etc.

Estos equipos, que no solo no han abandonado España tras la guerra civil, sino que son cada día más numerosos, asumen en la práctica la dirección del Estado español. Concentrados al principio en Burgos, San Sebastián y Sevilla, cerca de las esferas gubernamentales españolas, ahora dirigen preferentemente su acción hacia los puertos y hacia las zonas industriales y mineras, con cuyo control se han hecho. En Barcelona hay instalados hoy más de cinco mil alemanes; todos cumplen funciones de policía política, de control de las industrias, de investigación de las riquezas, de vigilancia de la producción y del tráfico, etc. Todos son, de hecho, funcionarios del Tercer Reich, aunque por supuesto no figuren como funcionarios del Estado español y se escondan para ejercer su misión detrás de organizaciones o empresas industriales aparentemente privadas. Hay que tener en cuenta que el Gobierno de Berlín ha recibido más de cincuenta mil solicitudes de alemanes deseosos de *prestar servicio* en España, y que, cautelosamente, solo ha autorizado la salida y la instalación en España de aquéllos a quienes considera agentes absolutamente indispensables de su política. A pesar de esta limitación, en todos los grandes centros españoles hay núcleos alemanes lo suficientemente numerosos como para que su acción civil sea patente. Cada uno de estos núcleos tiene su jefe, sus centros de reunión, sus zonas deportivas, sus campos de entrenamiento paramilitar, sus banderas e incluso sus periódicos en lengua alemana. Es curioso que en los diarios catalanes, en los que está prohibido publicar una sola línea en catalán, todos los anuncios relativos a los alemanes estén redactados en alemán y firmados por el *Ortsgruppenleiter* del N.S.D.A.P.

Estas células nacionalsocialistas dirigen la marcha del Estado español. En su lucha contra los enemigos del nazismo dentro de la propia Alemania han adquirido una experiencia que ponen en práctica en España.

Cuando, tras la victoria, los españoles vencedores pensaban ingenuamente que la guerra había terminado y que el rencor desaparecería ante la necesidad nacional de la vida en común (el español es cruel, pero no rencoroso), fueron estos técnicos de la economía autárquica y de la policía política enviados a España quienes le mostraron a Franco el camino a seguir. Según ellos, si el *Caudillo* quería que su victoria fuera fructuosa, el perdón general y la espontánea generosidad de los españoles no podían ponerse en práctica.

Se les hizo comprender a los vencedores que la victoria no debía ser generosa. La reconstrucción de una España arruinada por la guerra solo sería posible si se organizaba sistemáticamente la explotación del vencido por parte del vencedor. Típicamente alemana, e inspirada en las doctrinas del nazismo, surgió en primer lugar la *Ley de las responsabilidades políticas**, primera acción del Gobierno de Burgos que indicaba el

---

* El texto de esta ley, que contiene 89 artículos y 8 disposiciones transitorias, ocupa 22 páginas del Boletín oficial de Burgos. Nos limitaremos aquí a resumir las disposiciones más importantes:

Quedarán incursos en responsabilidad política, serán declarados fuera de la ley y perderán sus derechos y sus bienes, que pasarán al Estado, las personas jurídicas o físicas siguientes:

Los que desde el 1 de octubre de 1934 y antes del 18 de julio de 1936 han contribuido a la grave subversión de la que España ha sido víctima.

Los que a partir del 18 de julio han entrado en el Frente Popular o en los partidos o grupos aliados que se han sumado a las organizaciones separatistas.

Los que se han opuesto al triunfo del movimiento, incluidas las logias masónicas.

Los que han ocupado puestos directivos en los partidos del Frente Popular y sus afiliados, salvo los afiliados a las organizaciones sindicales.

Los que han sido designados para misiones de confianza por el Frente Popular.

Los que han organizado las elecciones de 1936.

Los que han sido candidatos del Gobierno en las Cortes de 1936, incluidos los agentes electorales del Frente Popular y sus delegados en las elecciones presidenciales.

Los diputados del Parlamento de 1936 que, por acción o abstención, han contribuido a la implantación de los ideales del Frente Popular.

Los que han pertenecido a la francmasonería, excepto los que la habían abandonado antes del 18 de julio de 1936.

Los que han permanecido en el extranjero después del 18 de julio de 1936 sin regresar a España en un plazo máximo de dos meses, salvo los que residen habitualmente en él o han sido retenidos por circunstancias extraordinarias.

En cuanto a las sanciones, estas pueden ir de la inhabilitación total a una inhabilitación especial. Incluyen, además, el exilio, la relegación en las posesiones de África, el encarcelamiento y la pérdida de todos los bienes, el pago de una multa fija, la pérdida parcial de bienes. La pérdida de la nacionalidad española también está prevista. Las penas varían de 8 a 15 años y de 3 a 8 años.

Se ha creado un tribunal nacional de responsabilidades políticas. Consta de un presidente, generales, consejeros de la Falange y dos magistrados.

camino a seguir. Esta ley de responsabilidades políticas puede afectar hasta al ochenta por ciento de los españoles. Dicho de otro modo, desde la fecha de su promulgación (13 de febrero de 1939), todos o casi todos los hombres válidos de España que no pertenecían a la Falange se han visto excluidos del derecho de gentes y a la merced del aparato policial del Régimen. No hay para ellos más proceso judicial que el fichero de los enemigos del régimen, en el que figuran un millón y medio de españoles juzgados y condenados de antemano según las reglas fijadas por la policía política alemana, la famosa Gestapo.

De esta raíz nace todo el sistema económico, social y político de la España de Franco. A la *Ley de las Responsabilidades políticas* le ha seguido la *Ley de la Redención por el Trabajo*. Concediendo al presunto criminal político la posibilidad de redimir por el trabajo la pena que se le ha impuesto arbitrariamente, se espera poner a disposición del Estado miles y miles de hombres que, después de perder todos sus derechos civiles, habrán de resignarse a trabajar en un régimen de pura y simple esclavitud. Es un método que se ha utilizado desde siempre. La horda convierte a los vencidos en esclavos poniéndoles un anillo en la nariz. Así se edificaron las Pirámides. Así pretende Franco reconstruir España.

Si la guerra no hubiese desembocado en la división de España en dos castas, la de los amos y la de los esclavos, sino, al contrario, en una tentativa de integración nacional, a Franco le hubiera sido completamente imposible perseverar en su insensata empresa de erigir en el sudoeste de Europa un Estado guerrero, hostil a las potencias occidentales, lo que en definitiva es el objetivo no de España, sino de las potencias totalitarias. Una paz verdadera entre los españoles sería fatídica para tal propósito. Una España que viviera en un régimen normal y civilizado no puede permanecer hostil a los países que se sitúan en su misma órbita geográfica, como tampoco puede por sus propios medios emprender la indispensable tarea de la reconstrucción nacional. Esta tarea solo podría llevarse a buen puerto gracias a la cooperación de todos los españoles, vencedores y vencidos, y mediante el crédito que concederían a España las grandes potencias, tan interesadas como ella en que un Estado normal y civilizado rija los destinos de la Península y mantenga practicables las carreteras de África y del Mediterráneo. Ésa era la situación que esperaban encontrar las potencias democráticas cuando terminara la guerra civil, pero la incorporación de España a la aventura imperialista de Alemania ha frustrado tal esperanza. En lugar de los créditos extranjeros que España necesitaba para su reconstrucción, Alemania le ofrece la aplicación de sus bárbaros métodos de gobierno.

Los técnicos alemanes de la economía autárquica y de la policía política han convencido a Franco de que era innecesario pagar un salario a un trabajador al que se le puede hacer trabajar en régimen de esclavitud, sin otro gasto que el alimento indispensable para evitar que muera; le han hecho creer que el estado de guerra permanente es la solución a todos los problemas políticos, económicos y sociales. Uno o dos millones de presos políticos que trabajen a cambio de su manutención, bajo el látigo de algunos miles de falangistas, bastan y sobran para reconstruir España sin que sea necesario recurrir al sistema del crédito internacional ni deponer la actitud hostil hacia el capitalismo internacional. Es revelador oír cómo Franco, en servil eco de las consignas de Berlín, se dedica en sus últimos discursos a vituperar el *cerco* económico franco-inglés.

Por poco que se examine con atención la serie de decretos promulgados por el general Franco desde el final de la guerra civil, la funesta dirección tomada por su política salta a la vista. El decreto de *Movilización Industrial* dictado por los alemanes es el complemento natural de esta política. Ya no les queda a los alemanes más que proponer un plan quinquenal, cuatrienal o trienal cualquiera, conducente a convertir España en un eficaz instrumento para sus propósitos, y todo ello se asienta sobre la práctica sistemática del terror y sobre el mantenimiento de la división de los españoles en vencedores y vencidos o, lo que es lo mismo, en amos y esclavos. Así y solo así puede el Estado nacionalsindicalista español permanecer estrictamente fiel a las directivas de Roma y de Berlín. En Cataluña, por ejemplo, tras la salida del país de los rojos y la instalación definitiva del nuevo régimen, la población había conseguido restablecer una especie de armonía pacífica entre vencedores y vencidos, sobre la base del perdón, de la resignación y del olvido espontáneo; pero más tarde, pueblo por pueblo, fueron apareciendo los ejecutores del siniestro designio de los países totalitarios, que se dedicaron a resucitar artificialmente entre los españoles la división y el odio, sin los cuales la empresa del totalitarismo sería inviable en España.

Por esta razón, por esta única razón, miles de hombres mueren hoy en la Península, quinientos mil gimen en las cárceles de España, otros quinientos mil están confinados definitivamente en los campos de concentración de Francia o emigran desesperados al otro lado del Atlántico. Dividir a un pueblo de esta manera es el mayor crimen que un Estado pueda cometer.

¡ATENCIÓN A TÁNGER!
LA AMENAZA DE UN NUEVO DÁNZIG EN EL EXTREMO SUROESTE DE EUROPA

25 DE JULIO DE 1939

Dentro de algunas semanas, el Estado español nacional-sindicalista va a plantear de nuevo en términos apremiantes un problema europeo al que por el momento solo se da una importancia relativa: Tánger.

Así, el Estado español empezará a cumplir la misión para la que fue creado y que no es otra que provocar, en el mediterráneo occidental y en África del Norte, nuevos motivos de inseguridad e inquietud para las potencias occidentales. Podemos anunciarlo ya sin equivocarnos: habiendo trazado el conde Ciano, durante su reciente visita a España, de acuerdo con Franco, la línea de conducta a seguir en esta historia, una vez resuelta ya de una manera o de otra, la cuestión del oro depositado en Francia por el Gobierno republicano, la llamada España imperial realizará su primera salida, preparada en secreto desde hace ya varios meses.

Esta primera salida de la España imperial consistirá en provocar artificiosamente un estado de confusión en la zona internacional de Tánger, donde se pretende hacer un nuevo Dánzig con el fin de apoyar en el extremo suroeste de Europa las maniobras imperialistas de los Estados totalitarios. Para poner en jaque a Inglaterra y a Francia, Hitler coloca a sus peones en posición de ataque, uno tras otro. Si el ritmo de los acontecimientos lo permite, después de Dánzig y Tien-Tsing, llegará Tánger, donde los españoles, actuando como agentes provocadores de Alemania, se esforzarán en provocar una situación análoga a la de Palestina, con todas las repercusiones que eso conllevará sobre el mundo islámico.

Este es el primer servicio que el general Franco puede rendir a las potencias que le han ayudado a ganar la guerra. No puede hacer otra cosa. Tres meses después del final de la lucha, sin la menor posibilidad de resolver ninguno de los problemas internos de España, amenazado con la relajación del espíritu de guerra, cimiento necesario de las fuerzas que lo sostenían, y que han empezado a oponerse las unas a las otras, el general Franco no tiene otra salida que la diversión clásica de los regímenes de fuerza cuando se sienten impotentes para resolver sus problemas internos: la aventura exterior.

A la España imperial de Franco, toda aventura exterior le está prohibida. Los falangistas pueden seguir su campaña de reivindicación de Gibraltar. El señor Serrano Súñer puede enseñar la Roca con un gesto teatral y amenazador, nadie, ni siquiera el más cándido de los españoles, le dará el menor crédito. Los periódicos nacionalistas pueden proseguir con su campaña de odio furioso contra las Potencias democráticas, ni estas Potencias, ni los mismos Españoles considerarán la posibilidad de una acción hostil efectiva.

Los militares españoles pueden seguir hablando a los marroquíes de guerra santa contra el protectorado europeo y fomentar el nacionalismo musulmán, pero no llegarán a suscitar un movimiento serio de rebelión. Por el contrario, es posible que el nacionalismo español provoque en la zona de Tánger un estado de desequilibrio que puede ser más grave de lo que se supone. Vamos a seguir, con los españoles de Tánger, la táctica ya adoptada con los alemanes de los Sudetes y actualmente con los de Dánzig.

Se trata de utilizar el nacionalismo primario de algunos españoles que viven bajo un régimen de difícil equilibrio internacional para llegar a unos fines extranacionales y antiespañoles, es decir, los del imperialismo hitleriano. El único punto de su programa imperial sobre el que el general Franco podría, si se presta la ocasión, conseguir el consentimiento popular, es la reivindicación de Tánger o por lo menos la revisión del Estatuto internacional. Tánger es el único punto donde los designios imperialistas del nuevo Estado pueden identificarse con las aspiraciones del pueblo español, quien, con su instinto seguro y su sentido agudo de las realidades, no tiene dificultad para apartar los artificios doctrinarios de sus nuevos amos. Pero, precisamente entre los votos de la población española de Tánger y los objetivos estratégicos del eje Roma-Berlín, se puede señalar una coincidencia o una correlación peligrosa. Los millares de proletarios andaluces y levantinos que forman la mayoría de la población obrera y artesana de Tánger, tienen esta ilusión de que la preponderancia o la soberanía española en la zona internacional significaría para ellos la redención económica, social y política. Estos doce o quince mil proletarios españoles que viven penosamente bajo un régimen no español, son los únicos españoles a los que el general Franco puede arrastrar en su aventura, ya que en ellos se encuentra exacerbado de una manera natural, por el medio donde viven, el sentimiento nacionalista; y es de esta circunstancia de la que el general Franco y sus comanditarios pretenden sacar partido.

Existe otra circunstancia favorable. La manera cómo los militares españoles han traicionado el mandato civilizador de Europa en África incita a la población musulmana de la zona internacional a apoyar los designios perturbadores del general Franco. Españoles y musulmanes unidos, y asegurados del apoyo de los ricos israelitas de la ciudad, quienes por temor o para evitar las represalias serán los dóciles instrumentos de la maniobra, pueden crear en Tánger una situación intolerable para las potencias interesadas en mantener el régimen internacional de la zona. Hay que tener en cuenta además que a la acción conjunta de los españoles y los musulmanes se unirán los italianos quienes, desde 1928, ocupan en la Asamblea de Tánger un escaño conquistado a espaldas de los españoles, que habían pedido su creación con la esperanza de que les fuese adjudicado.

Virtualmente la reivindicación española ya está solicitada aunque por el momento nos limitemos a reclamar algunas modificaciones estratégicas en la frontera de la zona internacional y el aumento del número de escaños en la Asamblea legislativa. Las rectificaciones de fronteras, presentadas con el pretexto de conseguir el acceso a ciertos puntos de agua, servirían para facilitar un futuro movimiento estratégico y la creación de un puesto nuevo en la asamblea serviría para plantear el problema de la entrada de Alemania en la administración de Tánger de la misma manera que la anterior reclamación española permitió la entrada de Italia.

Sin embargo, suponiendo que las potencias occidentales logren desviar hábilmente esas maniobras diplomáticas, no hay que hacerse ninguna ilusión. Ante la necesidad urgente en que se encuentra Franco de apasionar a la opinión por los acontecimientos exteriores y distraerla así de los problemas interiores insolubles, el Estado nacional-sindicalista español, animado por Alemania e Italia se prepara para llevar la campaña de Tánger por todos los medios sin retroceder ante los más violentos. No hay otra salida.

Las etapas de su acción son fáciles de prever. El Estado español ha empezado por hacer la vida imposible a todos los españoles republicanos quienes, poco a poco, han debido emigrar víctimas de amenazas, violencias e incluso crímenes por parte de los falangistas. El resto de la población española de Tánger tuvo que someterse y sobre ella se ejerce sistemáticamente un intenso lavado de cerebro. Han creado en Tánger un periódico titulado *España* que es sin discusión el mejor órgano de opinión publicado en el Marruecos del Norte disponiendo de una redacción excelente, servicios de información y los medios de difusión más modernos. Han mandado a Tánger y han concentrado en Ceuta y Tetuán a los propagandistas más experimentados de la Falange. Tánger, centro de contrabando tradicional, se presta a un tráfico clandestino muy intenso de armas y de material de propaganda. No tardaremos en ver cómo, en la población española de Tánger, se constituye una especie de «cuerpo franco» comparable al de Dánzig y al que creó Henlein en la región de los Sudetes. Frente a los doscientos cincuenta hombres armados que aseguran el orden en Tánger, la acción de esas organizaciones belicosas sostenidas por un terrorismo musulmán, instruido en la escuela de Palestina, podría crear una situación difícil, y podría sobre todo obligar a las potencias occidentales a desviar su atención a otro punto, en un momento determinado.

La internacionalización de Tánger está justificada por la necesidad de mantener abierta, en toda circunstancia, la entrada del Mediterráneo. A treinta kilómetros de la costa española, Tánger fortificada con una buena artillería de costa, ayudada por flotillas de submarinos y transformada en base aérea podría cerrar el Estrecho más fácilmente que Gibraltar.

Todas las posiciones franco-británicas en el Mediterráneo, de Gibraltar a Suez, se debilitarían si Tánger se transformase en un instrumento en manos de las potencias totalitarias, según la intención de Franco. Esta es la razón por la que Franco se dispone a exponer a esos doce mil españoles cuyo ingenuo sentimiento nacionalista servirá de pretexto a una maniobra estratégica del eje Roma-Berlín.

Tal es la primera misión que el imperialismo de las potencias totalitarias asignan a la España nacionalista. Su realización seguirá el ritmo general de los acontecimiento en Europa y el mundo, pero las posiciones están ya decididas, a la espera del momento oportuno. Es para los españoles, que no se resignan a cumplir esta triste misión de agentes provocadores al servicio de Alemania y de Italia, un deber patriótico denunciarlo al mundo cuando todavía estamos a tiempo.

QUÉ SUCEDE EN ESPAÑA
POR QUÉ HAN CAÍDO EN DESGRACIA LOS GENERALES YAGÜE Y QUEIPO DE LLANO

29 DE JULIO DE 1939

La fulminante destitución del general Queipo de Llano, el presunto encarcelamiento del general Yagüe y la reorganización militar decretada por el Gobierno de Burgos no son sino las fases previstas de la fatídica evolución que lleva al Gobierno de Burgos a someterse progresivamente a la dominación italo-alemana.

Los dos generales caídos en desgracia eran los que representaban el carácter propiamente autóctono del movimiento de rebelión contra la República. La reorganización militar decretada tiene como único fin poner los cuadros del Ejército bajo el control de un partido creado artificialmente para convertirse en el instrumento de la dominación extranjera: *La Falange Española Tradicionalista y de las JONS.*

EL GENERAL YAGÜE

En 1936, fue el primero en rebelarse contra la República al frente de las tropas de África. Cuando Franco, procedente de Canarias, llegó a Ceuta, se encontró con el hecho consumado. Yagüe obligó a Franco a asumir el mando supremo amenazándolo, en el caso de que se negara, con encarcelarlo y erigirse él mismo en *Caudillo*. Franco aceptó.

El general Yagüe había sido un buen comandante de las tropas marroquíes, sin ninguna inclinación política, un militar de pies a cabeza al que, por desgracia, el general Franco recurrió para reducir a sangre y fuego el movimiento revolucionario de los mineros de Asturias. En aquel momento, las tropas coloniales de Yagüe llevaron a cabo una represión tan cruda que la opinión pública española, horrorizada por tal crueldad, respondió a ella girando rotundamente a favor de la izquierda, y a manera de protesta dio la victoria total al Frente Popular en las elecciones de 1936. Sin embargo, Franco y Yagüe, responsables directos de aquella terrible represión, no podían aceptar el triunfo de una política de izquierdas que iba a pedirles cuentas de manera implacable. Ése fue el verdadero origen de la sublevación militar contra la República. Circunstancias análogas habían provocado en 1923 la sublevación y la Dictadura del general Primo de Rivera bajo la Monarquía. Cada vez que la opinión española, después de una catástrofe nacional, ha intentado exigir responsabilidades, se ha producido un *pronunciamiento*. La causa interna de la guerra civil no fue distinta.

Tras el fracaso de la rebelión militar en la Península ante el levantamiento en masa del proletariado revolucionario, cuando todo parecía perdido para los rebeldes, el general Yagüe atraviesa el estrecho de Gibraltar con un reducido contingente de fuerzas coloniales (gracias a los aviones italianos, que acudieron con prontitud en ayuda de la rebelión) y, al frente de sus moros y de sus legionarios, se lanza a la conquista de Andalucía y se abre camino hacia Madrid a través de Extremadura. Horribles masacres, como la de Badajoz, marcan su avance hacia el corazón de España.

Pero a partir del ataque frustrado contra Madrid, la guerra civil entra en una nueva fase. El proletariado industrial de la capital, adiestrado por los militares leales a la República, y las brigadas internacionales reclutadas en el extranjero por el partido comunista, oponen a las tropas de Yagüe la encarnizada resistencia que los campesinos de Andalucía, Extremadura y Castilla, desorganizados y armados con viejas escopetas, no habían sido capaces de oponer. El movimiento militar fracasa por segunda vez a las puertas de Madrid. Ante esta desesperada situación, Franco se echa definitivamente en brazos de Italia y de Alemania. Los cuerpos expedicionarios italianos y alemanes desembarcan en la Península, se encargan de las operaciones ulteriores, y la dirección de la guerra y de la política pasa automáticamente de los militares españoles a los técnicos extranjeros.

Se produce, sin embargo, el desacuerdo entre Franco y Yagüe. Este último no se da por vencido y, como muchos otros jefes y oficiales españoles, considera antipatriótico aceptar el interesado apoyo de Italia y de Alemania, que pone en peligro la independencia nacional. La oposición de Yagüe no se basa en ninguna discrepancia ideológica. Únicamente su amor propio de militar español lo determina a oponerse a la preponderancia de los extranjeros en el manejo de la guerra.

Yagüe fue a la sazón destituido del mando y, durante cierto tiempo, apartado. Intentó construirse una plataforma política con el sentimiento nacionalista de la Falange Española y fue el paladín del falangismo en el Ejército, creyendo ingenuamente que el falangismo estaba sólidamente arraigado en el pueblo y esperando que llegara el día en el que los falangistas acabarían con la dominación extranjera.

El desengaño del general Yagüe no se hizo esperar. La Falange Española no es más que una creación artificial que el fascismo internacional ha erigido contra el auténtico nacionalismo español. Mientras duró la guerra civil, el general Yagüe hubo de resignarse a soportar la intervención de los militares italianos y alemanes y a retomar el mando de las fuerzas que operaban en Cataluña, fiel a la idea de que el final de la guerra sería el momento oportuno para liquidar la hipoteca italo-alemana. Fue Yagüe quien, en un rápido avance, ocupó Barcelona, adelantándose a las órdenes del alto mando para que las tropas italianas no pudieran reivindicar la victoria de Cataluña como ya se habían adjudicado las de Málaga y Santander.

Terminada la guerra, y a pesar de su primario nacionalismo, el general Yagüe se dio cuenta de que la Falange Española, que él identificaba con la expresión de una voluntad nacional, no era más que un instrumento de dominación al servicio de Alemania y de Italia. Este bravo militar español, que bajo el ciego impulso de un nacionalismo falto de inteligencia ha combatido contra su propio pueblo, se percata hoy de que sus victorias solo han servido para entronizar en España un poder extranjero. En el nuevo Estado español, feudatario de Italia y de Alemania, los falangistas son meros agentes al servicio de Mussolini y de Hitler. Toda la organización del Estado, dictada por técnicos extranjeros, tiende a retirar el poder a los militares nacionalistas para ponerlo en manos de un partido que se ha convertido en el instrumento de la dominación extranjera.

Esta es, pues, la lucha abierta entre militares y falangistas por la hegemonía en España. Con la destitución de los generales Yagüe y Queipo de Llano, el generalísimo da hoy al imperialismo extranjero su primera victoria sobre el nacionalismo español.

EL GENERAL QUEIPO DE LLANO

En rebelión contra la Monarquía primero, y contra la República después, el general Queipo de Llano es el héroe típico del clásico pronunciamiento español. Ajeno a toda preocupación de carácter monárquico o republicano, liberal o fascista, nunca ha dejado de actuar bajo el impulso de sentimientos puramente personales, por ambición o por despecho. Su actual enfrentamiento con el general Franco tiene su origen en un mercadeo de condecoraciones. El general Queipo de Llano piensa que es él quien mejores servicios ha prestado al movimiento nacionalista, y que, en consecuencia, nadie tiene derecho a honores más elevados.

Es en efecto a Queipo de Llano a quien Franco debe el triunfo de su causa. Cuando la rebelión militar fue aplastada en Barcelona y en Madrid, y el general Mola, impotente, daba por hecho el fracaso del movimiento, Queipo de Llano, al frente de algunos cientos de soldados, consiguió adueñarse de Sevilla con astucia y posibilitó el desembarco de las tropas del general Yagüe y su avance a través de Andalucía. De no ser por la osadía de Queipo de Llano, la rebelión militar habría sido abortada.

Instalado desde el principio en Sevilla, Queipo ha ejercido en Andalucía un poder personal, independiente de cualquier orientación doctrinaria, y basado en el temor de los propietarios andaluces a la amenaza de una revolución social pregonada por anarquistas y comunistas. En Andalucía, y bajo la dirección de Queipo de Llano, este instintivo movimiento de defensa de las clases conservadoras ha desembocado en una concepción indígena del fascismo que en nada se parece a lo que se entiende por fascismo en Europa. Queipo, que aspiraba a ser el sucesor regional de aquella otra Dictadura *sui generis* que el general Primo de Rivera ejerció durante siete años, consideraba su mando en las provincias andaluzas como una especie de virreinato.

Queipo siempre despreció olímpicamente a los doctrinarios del fascismo. Había implantado en Andalucía un pintoresco régimen en el que la única ley era el poder personal que él ejercía con plena autonomía.

Utilizaba a los doctrinarios de la Falange como simples esbirros que se encargaban de sembrar el terror en los pueblos y en las fincas en las que había elementos rebeldes a su autoridad, pero no les concedía ningún poder político y los mantenía sometidos al arbitrio de su poder personal. La aristocracia terrateniente, la burguesía y la clase media de Andalucía lo apoyaban, pues veían en él un freno a la demagogia doctrinaria de los falangistas. Gobernando con tales métodos las ricas regiones andaluzas, Queipo de Llano se enorgullecía de que los teóricos de la economía autárquica de Burgos, al no haber podido organizar la producción sobre las nuevas bases del nacionalsindicalismo, tuvieran que recurrir a su feudo para garantizar su subsistencia. Su política personal en materia de producción agrícola le permitía favorecer a Andalucía con un abastecimiento más regular que el del resto de España.

Pero la preponderante situación que los italianos habían alcanzado en el Estado español inquietaba a las fuerzas conservadoras, menos preocupadas por la cuestión de la independencia nacional que por el asunto concreto de las consecuencias económicas, ahora tangibles, de la desastrosa intervención italiana. Desde el punto de vista agrícola, España e Italia son dos países de producción análoga que tradicionalmente han competido por la conquista de mercados exteriores. Al final de la guerra, los propietarios andaluces han visto cómo sus cosechas de aceite de oliva pasaban a manos de los italianos, que de este modo pretendían monopolizar los mercados de Europa y América. Una vez en Italia, el aceite de oliva español es refinado y vendido por una marca italiana en los mercados que antes pertenecían a los productores españoles. Por este motivo apoyan a Queipo los propietarios andaluces, que lo consideran un factor de resistencia a la dominación italiana. Valiéndose de este apoyo, el general Queipo ha mantenido su virreinato en Andalucía frente a los doctrinarios de la Falange, hasta el momento en que Italia, con la reciente visita del conde Ciano a España, ha planteado claramente al general Franco la cuestión de la heterodoxia del régimen andaluz. El general Queipo ha querido rebelarse contra el fascismo interior exigido como garantía de lealtad por Hitler y Mussolini, quienes, como puede imaginarse, no se contentan con platónicas manifestaciones de adhesión al imperialismo totalitario, sino que exigen la entrega total del poder a los falangistas, la eliminación de los elementos subversivos y la formación de un gobierno presidido por el hombre que mejor representa en España la pura doctrina totalitaria: Serrano Súñer.

Queipo de Llano fue a Burgos a luchar contra el falangismo. Tal vez con la ilusión de que las fuerzas sociales que lo apoyaban y adulaban le seguirían en su rebelión contra la tiranía de la Falange. Midió mal sus fuerzas, y en apariencia ignoraba hasta qué punto España había caído en las garras del imperialismo de Italia y Alemania. Queipo está hoy a merced de los falangistas, quienes, si se produjera un movimiento de rebelión en su favor, no dudarían en eliminarle implacablemente como ya han eliminado a miles de *antifascistas* que estaban a sus órdenes.

Por otra parte, la caída del general Queipo de Llano no provocará el menor movimiento de reacción en su favor, pues las fuerzas que hasta ahora lo han apoyado no han depositado sus esperanzas en el propio Queipo ni en ninguno de los caudillos que han provocado la guerra civil, sino en la restauración de una monarquía avalada por todas las clases conservadoras del país.

He aquí la gran ilusión, la falaz ilusión con la que se engañan los españoles mientras se cumple una nueva etapa de la colonización de España por parte de Alemania y de Italia.

LA CRISIS ESPAÑOLA.
LA DOMINACIÓN DE LAS POTENCIAS TOTALITARIAS SE HA INTENSIFICADO

19 DE AGOSTO DE 1939

LA crisis abierta en España desde hace algunas semanas por la visita del conde Ciano –visita que provocó el descontento de muchos generales– se ha resuelto, al parecer, a golpe de decreto, gracias a la modificación de los estatutos de la Falange española y a la modificación paralela de los órganos de Gobierno.

Se ha ampliado la intervención de la Falange en el Estado, al mismo tiempo que se aumentaba la participación de los militares en ella: con esta doble medida, por no hablar del cambio de denominación de ciertos departamentos ministeriales, el general Franco ha dado la crisis por finalizada.

Los más optimistas han creído ver en esto una hipotética victoria de las fuerzas nacionales, que siguen resistiendo a la dominación de las potencias totalitarias en España. No hay, sin embargo, ningún síntoma real que permita suponer tal cosa. Al contrario, lo único que ha sucedido es que se ha cumplido otra de las etapas previstas de la fatal evolución por la que, poco a poco, el Estado español va sometiéndose a la dominación italo-alemana.

LA FALANGE Y EL ESTADO

La modificación de los estatutos de la Falange española, decretada el 4 de agosto, tiene un único fin: introducir más eficazmente el falangismo en los órganos del Estado y someter el Gobierno y el Ejército a la voluntad de ese arbitrario poder de filiación e inspiración extranjeras que es la Falange. Las potencias totalitarias exigen tal garantía de la sumisión de España a sus designios imperialistas.

En su reciente visita a España, el conde Ciano ha podido evaluar el peligro que para los designios del eje Berlín-Roma representaba el que, paralelamente al desarrollo artificial de la Falange española, los órganos del nuevo Estado exterior se reforzaran al margen e independientemente de las consignas totalitarias. Se ha temido que la Falange quedara excluida del Estado como ya sucedió con las *Uniones Patrióticas*, un fascismo larvado que en su tiempo sirvió de apoyo a la Dictadura de Primo de Rivera. Y para que la Falange, que carece de auténtica savia nacional, no muera de inanición, se ha injertado este parásito en el viejo tronco del Estado español.

Hasta ahora la Falange no había sido más que un partido organizado jerárquicamente que movilizaba, por medio del terror, la actividad política del país, pero en ningún caso era consubstancial al Estado. Este conservaba el control de los órganos de gobierno, y la Falange solo podía intervenir en la gestión de los asuntos públicos a través del Consejo Nacional, organismo supremo del falangismo presidido por el Caudillo. Ahora, en cambio, la Falange se introduce en el Estado por medio de la Junta política del partido, cuyo presidente ejercerá, por derecho, funciones de ministro. Esta Junta política será en la práctica el verdadero gobierno de España, pues el resto de los ministros se han convertido en meros secretarios privados del Caudillo. Naturalmente, el cargo de

Presidente de la Junta política de la Falange se otorga a Serrano Súñer, personaje español para el que se ha reservado la función de mandatario político del fascismo italiano y del nazismo alemán. Dicho de otro modo, si Serrano Súñer era hasta ahora un ministro como todos los demás, a partir de este momento, con su investidura como delegado supremo del Partido en el seno del Gobierno, Serrano Súñer ejerce sobre el resto de los ministros una autoridad indiscutible.

La organización de la Falange española queda constituida por las trece jerarquías siguientes:

1.– Afiliados.
2.– Jefaturas locales.
3.– Jefaturas provinciales.
4.– Inspecciones regionales.
5.– Servicios.
6.– Milicias y sindicatos.
7.– Inspecciones nacionales.
8.– Delegados nacionales.
9.– Secretario general del Movimiento.
10.– Junta política.
11.– Presidente de la Junta política.
12.– Consejo nacional.
13.– El Caudillo, o Jefe nacional del Movimiento.

Hasta ahora, la Falange solo tenía acceso al Estado por sus jerarquías 12 y 13, es decir, por el Consejo nacional (especie de Consejo de Estado) y por la persona del Caudillo. De ahora en adelante, y por medio del Presidente de la Junta política, la Falange accede directamente al órgano de gobierno del país. La cuestión no es ya que los ministros sean falangistas (ya antes todos lo eran), sino que la jerarquía falangista ejerce un mando directo sobre el Gobierno.

Pero lo que indica más ostensiblemente la resuelta voluntad de someter el Estado español a la dominación de este partido de inspiración extranjera, cuyas dirección y doctrina tienen sus sedes en Roma y Berlín, es la reforma del estatuto de la Falange en lo que respecta a las milicias del partido. En esta sexta jerarquía del falangismo solo figuraban hasta ahora los afiliados militarizados, que se contentaban con llevar armas y tener un uniforme, pero que no gozaban de ninguna de las prerrogativas de las instituciones armadas del Estado. De ahora en adelante, las milicias falangistas «ya no serán una parte del Movimiento, sino el Movimiento mismo en actitud heroica de subordinación militar». El mando supremo corresponde al Caudillo, y las milicias se regirán por un reglamento especial que será promulgado. Dicho de otro modo, las milicias del partido se convierten en una institución armada del Estado. Las consecuencias de esta intromisión de los milicianos falangistas en el Ejército nacional es fatídica: en el futuro, los militares habrán de ser «el brazo armado de la nación», ya que es «la nación en armas», es decir, la Falange, quien asume la función militar.

Ya tenemos pues a la Falange infiltrada en el Gobierno, por medio de la Junta política del partido, y en el Ejército, por medio de sus milicias. ¿Era esto lo que exigía el conde Ciano como garantía de lealtad al fascismo internacional?

A primera vista, tan importante reforma parece una hábil maniobra política del Caudillo, que, de este modo, ahogaría a la Falange bajo una enorme masa de militares profesionales y de antiguos combatientes, pero en realidad los militares, y especialmente los oficiales, van a ser sometidos a la disciplina del partido. Para atenuar el efecto que esta medida podría causar en el Ejército, se quiere apaciguar a los militares descontentos creando una Junta de Defensa autónoma, compuesta exclusivamente por el Caudillo y por los ministros de la Guerra, de la Marina y del Aire, y en la que no interviene la Falange. De este modo, la coacción del falangismo a los órganos del Estado, más acentuada en las zonas medias e inferiores, parece atenuarse en las esferas superiores.

LA FALANGE Y EL PAÍS

La Falange española es un mero instrumento de la dominación extranjera en España. Servil imitación del fascismo italiano y del nazismo alemán, sus efectivos solo se componían al principio de algunas docenas de intelectuales hostiles a la República y de algunas bandas de matones reclutados entre los antiguos anarquistas. Franco y los militares que se sublevaron contra la República pusieron el poder en sus manos porque no confiaban en los partidos tradicionalmente conservadores y porque la Falange, creación italiana y alemana, era la garantía que exigían las potencias totalitarias para dar su apoyo a Franco en la guerra civil.

Pero la Falange no estaba en absoluto arraigada en el país. La Falange española, como hemos señalado repetidamente, no es más que una reacción antinacional de los doctrinarios del Estado totalitario provocada por el fracaso de la Dictadura autóctona que el general Primo de Rivera ejerció desde 1923 a 1929. Dado que el puro *españolismo* se mostró incapaz de mantener un régimen dictatorial, hubo que pedir a las potencias totalitarias –Alemania e Italia– la doctrina y el aparato de represión necesarios para someter el pueblo español a una concepción del Estado que le era extraña y que su sentimiento nacional rechazaba.

La Falange se organizó sobre una base antinacional. El primer año de guerra fue suficiente para demostrar su impotencia: los *camisas negras* italianos y los *nazis* tuvieron que ir a combatir en la Península en lugar de los falangistas españoles. Pero si los falangistas no sabían luchar, había en cambio otra fuerza nacional –los tradicionalistas, los requetés– que luchaba con ardor. Para revigorizar al falangismo, el general Franco practicó una primera transfusión de sangre: incorporó los requetés a la Falange, y así se creó la *Falange Española Tradicionalista*.

Por esta entelequia de la Falange, Franco ha sacrificado sucesivamente a todas las fuerzas nacionales. Monárquicos, alfonsistas, carlistas, católicos, conservadores y liberales, unos tras otros, todos hubieron de convertirse en falangistas... Y así fue como se llegó al final de la guerra civil.

Pero esa selección invertida que es la guerra tuvo la siguiente consecuencia: mientras decenas de miles de carlistas –casi toda la juventud de Navarra– sucumbían heroicamente, los falangistas, que no habían tenido el valor de batirse y que se habían dedicado a la represión en retaguardia, conservaban sus tropas intactas y aumentaban sus efectivos incorporando a ellas a los *rojos* vencidos. Valiéndose de esta situación y de la ayuda italiana, hoy exigen el poder, y Franco, que desde el principio se había apoyado en ellos, no puede negárselo.

LA VERDAD DE ESPAÑA

CUANDO se juzgan los acontecimientos políticos de España, el mayor error que puede cometerse es creer en la existencia de un movimiento de opinión organizado y capaz de hacer frente al reducido grupo que se ha apoderado del Estado. No hay nada de eso. En la España tiranizada y extenuada por la guerra no hay ningún movimiento de opinión. De los enfrentamientos entre los generales, de los choques entre las ambiciones personales de los dirigentes, se ha querido deducir a toda costa la existencia de una opinión pública contraria a la política general del Estado español imperial y nacionalsindicalista. Se ha llegado a pensar con sorprendente ligereza que el camino fatal de España puede ser contrarrestado gracias a un simple cambio en la denominación de los departamentos ministeriales. El origen de tan grave error reside en la incapacidad de los demócratas de concebir los regímenes antidemocráticos tal y como son. Se cree, por ejemplo, que las diferencias personales entre Serrano Súñer y los generales Queipo de Llano y Yagüe pueden provocar una crisis en el régimen. El demócrata sigue pensando que cada persona tiene una entidad propia, y que representa algo por sí misma. Se ha afirmado que Serrano Súñer era el defensor a ultranza de la doctrina totalitaria, y que una disminución de su influencia o su alejamiento del poder representarían un cambio substancial en la política nacional. Es un completo error. Serrano Súñer no es nada por sí mismo, no representa nada, y lo que pueda pensar o no pensar no tiene la menor importancia. Cumplirá la función de mandatario de Mussolini y de Hitler tanto tiempo como sea necesario, y dejará de cumplirla cuando se haya dispuesto otra cosa. Generales como Queipo de Llano o Yagüe se erigirán en defensores de la independencia nacional en tanto que se les ordene, y se convertirán, al mando, en ordenanzas de Mussolini y de Hitler. Pero nos negamos a entender que todo eso es falso, artificial, convencional, sin ninguna razón profunda y auténticamente española.

Es absurdo suponer la existencia en España de dos corrientes de opinión antagonistas; una, representada por la Falange española, partidaria de la revolución nacionalsindicalista y de la sumisión a las potencias totalitarias; otra, representada por el conservadurismo clásico y por las clases socialmente conservadoras, favorable a un régimen capaz de mantener las buenas relaciones internacionales.

Creemos ingenuamente en la existencia de estas dos corrientes de opinión y nos complacemos en imaginar al general Franco como un poder moderador entre las dos tendencias. Esta concepción, típicamente democrática, no responde en absoluto a la realidad española, aunque ésa sea la consigna dada, con un maquiavelismo muy en el estilo del Dr. Goering, a los agentes de propaganda del fascismo español al *Tercio Exterior*, pues así se denomina el organismo creado para extender la propaganda en el extranjero, organismo que recientemente ha recibido de su jefe, Sánchez Mazas, instrucciones concretas cuya lectura recomendamos a todos aquéllos que estén interesados en la política extranjera del general Franco.

Esta función de poder moderador entre dos tendencias opuestas, benévolamente atribuida al general Franco por los agentes de su propaganda, es pura fantasía. El Caudillo, vencedor de la guerra, Jefe Supremo del Estado, soberano y autócrata, puede cargarse a la Falange de un plumazo. Si Franco quisiera, la Falange dejaría de existir mañana, y los terribles extremistas del falangismo, que hoy dan gritos de indignación y se rasgan las vestiduras ante la inofensiva posesión de Gibraltar por parte de los ingleses, le agradecerían al Caudillo que los relevara de tan penosa obligación. No hay que olvidar que Serrano Súñer, verbo del totalitarismo, es además cuñado del general Franco, y que este parentesco es el único origen de su poder político. Serrano Súñer es lo que Franco quiere que sea, o más bien lo que Hitler y Mussolini ordenan que sea para que el general Franco pueda cumplir con éxito la misión que se le ha asignado. Las dos grandes corrientes de opinión que se supone hay en España no son más que dos ficciones que sirven, una, para justificar la sumisión a las potencias totalitarias, la otra, para alimentar las esperanzas de las potencias democráticas. Franco tiene en sus manos un país hambriento y exangüe. Puede hacer con él lo que quiera. Y por el momento nada hace pensar que hará algo distinto de lo que ha hecho desde su acceso al poder: ligar el destino de España a la aventura imperialista de las potencias totalitarias.

Hoy España está por completo en manos de un poder extranacional (el imperialismo alemán e italiano) y, pase lo que pase, hasta que el país, extenuado por dos años y medio de horrible guerra, no haya recobrado fuerzas suficientes para rehacerse y sacudirse la dominación extranjera, o hasta que las circunstancias internacionales no faciliten su liberación, no hay que hacerse ilusiones sobre el curso que pueden seguir los acontecimientos de España. Todos conducen al mismo fin: servir a las potencias totalitarias con la mayor eficacia posible.

Ante la eventualidad de una guerra europea, España será neutral o participará en la lucha según las conveniencias estratégicas de las potencias totalitarias. Lo que no sabemos aún, es qué decisión les parecerá más oportuna a esas potencias. Pero hay más: España firmará acuerdos económicos con las potencias democráticas dependiendo de que las potencias totalitarias consideren o no oportuno el que tales acuerdos sean firmados.

Ésa es la única verdad del Estado imperial nacionalsindicalista, erigido en potencia beligerante en el extremo sudoeste europeo para servir a aquéllos que lo han construido sobre las ruinas de la patria española y a costa del sacrificio de un millón de españoles.

LA NEUTRALIDAD DE ESPAÑA[*]

9 DE SEPTIEMBRE DE 1939

EL problema que se plantea en la España de Franco con motivo del tratado germano-soviético es el punto culminante de la trayectoria ideológica seguida por el pueblo español desde el inicio de la guerra civil. La neutralidad de España en la conflagración europea no debería dejar lugar a dudas. Pero aunque la política de España en un conflicto internacional esté determinada de antemano y de manera inmediata por causas geográficas, económicas y políticas que reducen los sentimientos individuales a la nada, el porvenir de la política de neutralidad depende de algunos núcleos de poder que se enfrentan brutalmente.

Hasta la conclusión del tratado germano-soviético, la España nacionalista depositaba todas sus esperanzas en la victoria final de las potencias totalitarias. La Falange, a la que Alemania apoyaba con el fin de utilizarla para sus propósitos, se las ingenió (eso sí, con gran dificultad) para crear una ideología artificial que reclamaba a los nacionalistas españoles el sacrificio de su país en pro de las necesidades estratégicas de Berlín. El anticomunismo era el fundamento de esta mistificación:

* En la edición en prensa este artículo aparece censurado con grandes espacios en blanco.

golpeados de lleno por una propaganda engañosa, los nacionalistas españoles fueron embarcados de improviso en una aventura cuyo desenlace amenazaba con ser el establecimiento de una hegemonía europea perjudicial para los intereses de su país. Mientras tanto, se les repetía que para terminar con el comunismo no había más remedio que luchar contra la democracia y el capitalismo; de este modo, los conservadores españoles, que profesaban un nacionalismo auténtico, fueron obligados a subirse al carro revolucionario del nacionalsocialismo alemán y a lanzarse heroicamente contra las supuestas *plutodemocracias*, hábilmente etiquetadas como enemigas de España.

Pensada deliberadamente en beneficio de la expansión alemana, esta caricatura de la realidad solo fue posible por la confusión mental de los doctrinarios españoles.

Por otra parte, el fundamento anticomunista sobre el que descansaba el vago proyecto de un Imperio español sí era una sólida realidad nacional. La cruzada antimarxista fue la única base sobre la que se construyó la superestructura del Imperio español, por sí mismo ajeno a lo auténticamente español. Los nacionalistas españoles nunca tuvieron la menor confianza en una resurrección del Imperio de los Habsburgo, y todavía menos en la revolución nacionalsocialista que los incansables agentes alemanes fomentaron entre ellos.

Solo tenían una convicción –que sí era sincera–, y era que el peligro de la revolución social procedía de Moscú. Por culpa de este temor se dejaron arrastrar a la aventura hitleriana.

Ahora, el nazismo alemán se ha quitado la máscara. Está en evidente colusión con el comunismo ruso. Los nacionalistas españoles, que ayer libraban contra el comunismo una batalla sin cuartel y que todavía hoy reprimen con mano dura a los marxistas y a sus aliados demócratas, se han quedado estupefactos. Los nacionalistas podían esperarse todo menos verse convertidos de un día para otro en amigos y aliados de Stalin.

El más incisivo de todos los comentarios publicados hasta el momento es el que aparece en el conocido diario monárquico *ABC*. En él se justifica el pacto germano-ruso con el argumento de que Alemania y Rusia son dos países complementarios, de que la «geografía prevalece sobre el tipo de régimen, que la economía es más importante que los acuerdos políticos», manera muy española de burlarse de las consignas falangistas y de insinuar discretamente que a España le convendría seguir ese mismo ejemplo, obedecer a sus necesidades geográficas y económicas y dar la espalda a esos regímenes y acuerdos a los que los doctrinarios de la Falange quieren permanecer fieles.

No obstante, es evidente que los designios de la Falange han chocado violentamente contra la repulsa general del país. Muchos afirman que lo mejor sería dar la espalda a Europa. De este modo, y por primera vez, la Falange y la Gestapo se oponen una a la otra en lo que respecta al país y al Estado. En lo que respecta al país, porque su innato sentido común se pronuncia contra un nuevo derramamiento de sangre española en pro de un sueño insensato. En lo que respecta al Estado, porque ha tomado conciencia de sus responsabilidades en el momento actual y se siente obligado a proclamar una política de neutralidad que por sí misma dispone inevitablemente que se detengan las campañas incompatibles con esta tendencia.

De este modo, al lado de las antiguas consignas de la Falange, sugeridas por Alemania, han empezado a aparecer en las columnas de los diarios españoles las noticias del servicio de prensa británico, gracias a lo cual la opinión española podrá ser informada en adelante por una vía diferente a la del D. N. B. El monopolio de la agencia alemana, que ha durado tres años, se ha roto. En estas condiciones deberá librarse la lucha por la neutralidad española. No son solo las necesidades inmediatas las que están en juego, sino la dirección completa de la política futura.

Sin embargo, hay un factor decisivo que juega en favor de las dos democracias.

En la batalla ciega y feroz que ha librado contra el comunismo, España se ha visto obligada a soportar la destrucción de sus ciudades y de sus campos por las bombas alemanas. Una parte importante de su riqueza ha sido reducida a polvo por las bombas y los soldados extranjeros.

Hoy España descubre de pronto que la misma aviación que asoló las ciudades y los pueblos de la Península amenaza con surcar los cielos de Europa para repetir sus hazañas, escoltada, como es de suponer, por los aviones de guerra de esa misma Unión Soviética que al principio constituyó el pretexto al que apelaron oficialmente los *nazis* para justificar la destrucción de gran parte de España. Así las cosas, se hace difícil adivinar quién odiará más a los *nazis* en el futuro: los españoles de la zona roja, que vieron cómo sus hijos eran despedazados por las bombas *nazis*, o los de la zona blanca, vilmente engañados por las mentiras del anticomunismo. El bombardeo de la ciudad abierta de Almería por parte del *Koenigsberg* fue un insulto completamente gratuito que España no podrá olvidar.

LA NEUTRALIDAD ESPAÑOLA

30 DE SEPTIEMBRE DE 1939

La disolución del Consejo Nacional de la Falange Española y su reconstrucción sobre nuevas bases han dado lugar a diversas interpretaciones, relativas inevitablemente a la política seguida por el Gobierno español frente a la conflagración europea.

Digamos ante todo que el problema de las relaciones exteriores de España sigue planteándose en los mismos términos que al final de la guerra civil. Nada hace pensar que haya habido algún cambio. Lo que ha sufrido una conmoción es la situación internacional, pero las reacciones españolas a tal conmoción siguen siendo impredecibles.

La disolución del Consejo Nacional de la Falange y el hecho de promulgarse su nueva constitución son operaciones de pura política interior, que pretenden reducir progresivamente los fermentos demagógicos que se habían desarrollado en el interior de la Falange a lo largo de la guerra civil. El general Franco, siguiendo los pasos del juicioso general Primo de Rivera, intenta transformar el Consejo de la Falange en un organismo análogo a la Asamblea consultiva que prestó un apoyo tan discreto como inquebrantable al antiguo dictador.

El nuevo Consejo se compone de noventa miembros. Lo forman todos los ministros y jefes de las organizaciones del Estado, así como doce generales y numerosas personalidades monárquicas y católicas. En realidad, del antiguo Consejo de la Falange no queda más que una treintena de miembros que para nada representan al Partido de la Falange, aunque los Serrano Súñer, Primo de Rivera y Sánchez Mazas aún continúen en el poder.

Si, tal y como se ha anunciado, asistimos después de esto a la desmilitarización completa de los batallones de Falange, podremos tener la esperanza de que, renunciando a sus sueños imperialistas y belicosos, esta se transforme, a corto o largo plazo, en una especie de Unión Patriótica –semejante a la que apoyó al general Primo de Rivera– auténticamente española, libre de toda colusión con el imperialismo extranjero y de toda servidumbre a sus intereses.

* * *

Esta es, en sí misma, la base fundamental de la política española. Contrariamente a lo que piensa la mayoría, la situación interior de España nunca ha sido tan grave como para que sus problemas solo pudieran solucionarse por medio de una guerra civil asesina. Por más mediocre que fuera su inteligencia, los gobiernos españoles habrían podido arreglarlos en su momento sin la intervención de las dos potencias que han llevado a España a la ruina: la URSS y Alemania.

En lo que a la URSS respecta, el fracaso de su intervención es a todas luces anterior a la derrota decisiva del Ejército republicano. En los primeros meses de la guerra, los dirigentes soviéticos se dieron perfecta cuenta del error que habían cometido ayudando a los comunistas españoles. La «España roja» y la «Revolución de la España proletaria» nunca fueron más que frases vacías y ruidosas, lanzadas para explotar a las masas ignorantes y para responder a la propaganda del adversario.

En cuanto a Alemania...

Alemania es la tradicional sirena que tiene el don de hechizar, desde su lejana orilla teutona, a ciertas capas de la nación española. El origen de nuestras catástrofes nacionales siempre ha sido esa bestia negra que se llama Alemania. La casi totalidad de los errores trágicos cometidos por España, desde la guerra de 1914-1918 hasta hoy, ha nacido de la intervención directa y funesta del imperialismo alemán en la política interior de nuestro país. La corrupción política y la descomposición de España se originaron en la Gran Guerra, provocadas por la injerencia sin límite del príncipe Ratibor, embajador de Alemania. Con la ayuda de un millar de hombres pagados, de una docena de periódicos subvencionados y de una banda de asesinos y de saboteadores, este último cometió la infamia de socavar el sistema democrático y parlamentario sobre el que descansaba la monarquía, cuyos defensores intentaban cerrar los dos mil kilómetros de costa española a los submarinos alemanes y perseveraban en el mantenimiento de una política de fidelidad a las necesidades geográficas y a los compromisos de su país.

* * *

Desde el día en que el embajador de Alemania puso en marcha esta enorme campaña de agitación, los partidos y sus jefes se vieron privados de la consideración de la que hasta entonces gozaban. Gracias al excesivo descrédito en que cayeron los dirigentes políticos y los partidos que los apoyaban, pudieron desplegarse a plena luz el terrorismo, ejercido en Barcelona por bandas de anarquistas al mando del barón de Koenig, las escandalosas campañas de la Prensa financiera, dirigidas por el príncipe Ratibor contra los políticos favorables a los aliados, y la ayuda a los sindicalistas revolucionarios en pago de los sabotajes y de los crímenes cometidos. Los civiles fueron incapaces de combatir la vasta empresa que pretendía descomponer el país con la connivencia ciega y autodestructora de los elementos proalemanes de la propia España.

En definitiva, los agentes del Reich recurrieron a la acción gubernamental para alcanzar sus fines, utilizando a ciertos oficiales de probados sentimientos germanófilos como los generales Arlegui y Martínez Anido, que se apropiaron rápidamente de los métodos terroristas empleados por los agentes alemanes. Por las calles se multiplicó la caza del hombre, y cuando al fin Alemania sucumbió a los golpes aliados, dejó a España como herencia esas bandas de terroristas que, dirigidas por el barón de Koenig y Bravo Portillo, habrían de sembrar los gérmenes de un sistema de gobierno al que en la época no se le supo dar nombre y que se llama hoy nazismo.

* * *

Inyectados artificialmente en las venas de España, esos procedimientos mafiosos provocaron el desmoronamiento del sistema político sobre el que descansaba la monarquía. Este desmoronamiento engendró necesariamente la Dictadura de 1923, que –digámoslo en su defensa– intentó en todo momento mantener un régimen estrictamente nacional, independiente del extranjero, y consiguió, con la colaboración del mariscal Pétain, resolver de manera radical y satisfactoria el problema marroquí. Pero la Dictadura derrochó y al final agotó las reservas de conservadurismo y de nacionalismo del país, y cuando, tras siete años de descontento, el régimen se derrumbó, la propia monarquía fue arrastrada por la tormenta.

La República fue asediada desde el principio por dos fuerzas iguales en poder pero de tendencias y doctrinas opuestas, que atacaron simultáneamente la democracia universal en la teoría y en la práctica: el fascismo y el comunismo. Los demócratas españoles hicieron gala de una incuria y una debilidad criminales frente a la acción comunista. Por su parte, los reaccionarios fueron engañados por el *dinamismo* de los regímenes totalitarios y sobre todo por las maniobras estratégicas del nazismo. Con esto era suficiente para que la situación pareciese favorable a los planes de la URSS y a las ambiciones del Reich, que soñaban con una España convertida en base estratégica contra las potencias occidentales, y para empujar a los propios españoles, ciegos y fanáticos, a una atroz guerra civil en la que no tenían nada que ganar y sí mucho que perder.

*   *   *

Sin la intervención del Tercer Reich, la sublevación de junio de 1936 no hubiera tenido mayor importancia que el pronunciamiento del general Sanjurjo, en 1932, o que cualquiera de esa larga serie de pronunciamientos que se han sucedido a lo largo del siglo XIX. Una vez más, Alemania se convirtió para muchos españoles en una sirena tentadora que llenó sus locos cerebros con el sueño de un nuevo Imperio español, el Imperio de Felipe II restaurado. Para los *nazis*, este no era más que una nueva arma en su lucha contra las democracias occidentales. En pleno siglo XX, Hitler se arrogaba el papel protagonizado por la Casa de Austria en el siglo XVI, y conminaba a España a que se alejara de la misión que le asignan la geografía, la historia y su propio temperamento para adentrarse en el sendero de la ruina y de la miseria al servicio de los intereses de otro país.

Una dictadura militar al estilo español, un nacionalismo auténtico o una reacción típicamente española jamás habrían causado los estragos que causó la infiltración de las doctrinas *nazis* en la vida del país. Sin

Alemania y, en menor grado, la URSS, no habría habido guerra civil. Los regímenes de esos dos países son los proyectiles que despedazaron la carne viva del pueblo español; sus fusiles, sus bombas y sus técnicos, los instrumentos que destruyeron la mitad de las ciudades y de los pueblos de España.

Ante esas verdades incontestables, y frente a la horrible tragedia de su país, ¡cuánto dolor causa a un patriota pensar que el pacto de amistad que ahora une al Reich *nazi* y a la URSS ha sido sellado con sangre española, y que la fraternización en Brest-Litovsk de los ejércitos de Stalin y de Hitler hubiera podido celebrarse en Teruel!

¿Y el futuro? ¿Cuál será la reacción de España? ¿Permanecerá fiel a su doctrina oficial de defensa de la civilización occidental contra los bárbaros o será arrastrada por la desesperada estela del loco de Berchtesgaden?

Por el momento es imposible responder a esas preguntas. La maniobra política que acaba de ejecutarse revela únicamente la intención de concentrar todo el poder en manos de un hombre, y de ese hombre nada más. Nada se trasluce aún de las verdaderas intenciones del gobierno español, disfrazadas hasta ahora por la declaración oficial de neutralidad total. Solo una cosa parece clara: cuando los problemas de un pueblo deben ser resueltos por la decisión inapelable de una sola persona, cuando los actos presentes y futuros de millones de individuos dependen exclusivamente de la inamovible voluntad de un solo hombre, todo intento de predecir el futuro sobrepasa el límite de las posibilidades humanas.

PROCEDENCIA DE LOS ARTÍCULOS

1. «Lo que pasa en España y lo que pasará». *La Nación,* Buenos Aires, 8 de agosto de 1936.
2. «Desde la mesa de la redacción». *La Nación,* Buenos Aires, 15 de enero de 1937.
3. «El aspecto marroquí de la guerra de España» (*«Aspect marrocain de la guerre d'Espagne»*). *L'Oeuvre,* 5 de febrero de 1937. Traducción del francés de Marie Christine del Castillo.
4. «Ideas y doctrinas. La guerra civil española se acerca a su fin» (*«Idées et doctrines. La guerre civile espagnole aproche de sa fin»*). *La Dépêche,* Toulouse, 27 de mayo de 1937. Traducción del francés de Marie Christine del Castillo.
5. «Mola, el traidor a sí mismo». *Pan,* nº 119, Buenos Aires, 14 de julio de 1937.
6. «Por qué la guerra de España no ha terminado aún» (*«Pourquoi la guerre d'Espagne n'est encoré finie»*). *La Dépêche,* Toulouse, 1 de octubre de 1937. Traducción del francés de Marie Christine del Castillo.
7. «La España de mañana. Los nacionalistas y la intervención extranjera» (*«Spain of Tomorrow. The Nationalists and Foreign Intervention»*). © *Cooperation,* Churchill Archive Centre, Cambridge, 1938. Traducción del inglés de Pilar González Fandos.
8. «La gran mentira de las adhesiones al franquismo». *Madrid,* Madrid, 27 de enero de 1938.
9. «Ideas y doctrinas. Los dos lados de la barricada» (*«Idées et doctrines. Les deux côtés de la barricade»*). *La Dépêche,* Toulouse, 5 y 6 de junio de 1938. Traducción del francés de Marie Christine del Castillo.
10. «La política totalitaria de Franco» (*«La politique totalitaire de Franco»*). *L'Europe Nouvelle,* París, 30 de julio de 1938. Traducción del francés de Elena Cuasante Fernández y Pedro Pardo Jiménez.

11. «Posibilidades de gobierno del general Franco» (*«Moyen du gouvernement du Général Franco»*). *L'Europe Nouvelle,* París, 13 de agosto de 1938. Traducción del francés de Elena Cuasante Fernández y Pedro Pardo Jiménez.
12. «La España nacionalista. I» (*«L'Espagne nationaliste. I»*). *L'Europe Nouvelle,* París, 27 de agosto de 1938. Traducción del francés de Elena Cuasante Fernández y Pedro Pardo Jiménez.
13. «La España nacionalista. II» (*«L'Espagne nationaliste. II»*). *L'Europe Nouvelle,* París, 10 de septiembre de 1938. Traducción del francés de Elena Cuasante Fernández y Pedro Pardo Jiménez.
14. «Y ahora, España» (*«Et maintenant l'Espagne»*). *L'Europe Nouvelle,* París, 29 de octubre 1938. Traducción del francés de Elena Cuasante Fernández y Pedro Pardo Jiménez.
15. «El abastecimiento de España. La única esperanza de Franco es la de reducir a la República por el hambre» (*«Le ravitaillement de l'Espagne. L'unique espoir de Franco est de réduire la République par la famine»*). *L'Europe Nouvelle,* París, 3 de diciembre de 1938. Traducción del francés de Elena Cuasante Fernández y Pedro Pardo Jiménez.
16. «¿Mediación en España o guerra de exterminio?» (*«Mediation en Espagne ou guerre d'extermination?»*). *La Paix Civile,* nº 7, noviembre de 1938. Traducción del francés de Pilar González Fandos.
17. «Ideas y doctrinas. La etapa final de la guerra de España» (*«Idées et doctrines. L'Etape finale de la guerre d'Espagne»*). *La Dépêche,* Toulouse, 22 de diciembre de 1938. Traducción del francés de Marie Christine del Castillo.
18. «El general Franco» («General Franco»). *The Nineteenth Century,* Londres, enero de 1939. Traducción del inglés de Victoria León Varela.
19. «Ideas y doctrinas. La restauración monárquica en España» (*«Idées et doctrines. La Restauration monarchique en Espagne»*). *La Dépêche,* Toulouse, 26 de enero de 1939. Traducción del francés de Marie Christine del Castillo.
20. «Las posibilidades que quedan» (*«Les possibilités qui restent»*), *L'Europe Nouvelle,* París, 28 de enero de 1939. Traducción del francés de Elena Cuasante Fernández y Pedro Pardo Jiménez.
21. «En España. Las posibilidades de la monarquía» (*«En Espagne. Les chances de la monarquie»*). *L'Europe Nouvelle,* París, 4 de marzo de 1939. Traducción del francés de Elena Cuasante Fernández y Pedro Pardo Jiménez.
22. «Los acontecimientos de Madrid y su importancia» (*«Les événements de Madrid et leur importance»*). *L'Europe Nouvelle,* París, 18 de marzo de 1939. Traducción del francés de Elena Cuasante Fernández y Pedro Pardo Jiménez.

23. «¿Qué pretende el imperialismo español?» (*«Que vise l'imperialisme espagnol?»*). *Excelsior,* 25 de mayo de 1939. Traducción del francés de Pilar González Fandos. También publicado en «Franco Seen as Tool to Nazify South America», *New York Herald Tribune,* Nueva York, 24 de mayo de 1939.
24. «Tras el desfile de la victoria. Misión de la España franquista» (*«Après le défilé de la victoire. Mission de l'Espagne franquiste»*). *L'Europe Nouvelle,* París, 3 de junio de 1939. Traducción del francés de Elena Cuasante Fernández y Pedro Pardo Jiménez.
25. «La tragedia de España. Una familia y un Imperio» (*«La tragédie de l'Espagne. Une famille et un empire»*). *L'Europe Nouvelle,* París, 22 de junio de 1939. Traducción del francés de Elena Cuasante Fernández y Pedro Pardo Jiménez.
26. «Terror blanco en España. Gestapo y autarquía económica» (*«Terreur blanche en Espagne. Gestapo et autarcie économique»*), *L'Europe Nouvelle,* París, 15 de julio de 1939. Traducción del francés de Elena Cuasante Fernández y Pedro Pardo Jiménez.
27. «¡Atención a Tánger! La amenaza de un nuevo Dánzig en el extremo suroeste de Europa» (*«Attention a Tanger! La menace d'un nouveau Dantzing»*), *L'Œuvre,* París, 25 de julio de 1939. Traducción del francés de Marie Christine del Castillo.
28. «¿Qué sucede en España? ¿Por qué han caído en desgracia los generales Yagüe y Queipo de Llano?» (*«Que se passe-t-il en Espagne? Pourquoi les généraux Yagüe et Queipo de Llano sont-ils tombés en disgrâce?»*). *L'Europe Nouvelle,* París, 29 de julio de 1939. Traducción del francés de Elena Cuasante Fernández y Pedro Pardo Jiménez.
29. «La crisis española. La dominación de las potencias totalitarias se ha intensificado» (*«La crise espagnole. La domination des puissances totalitaires est renforcée»*). *L'Europe Nouvelle,* París, 19 de agosto de 1939. Traducción del francés de Elena Cuasante Fernández y Pedro Pardo Jiménez.
30. «La neutralidad de España» (*«La neutralité de l'Espagne»*). *L'Europe Nouvelle,* París, 9 de septiembre de 1939. Traducción del francés de Elena Cuasante Fernández y Pedro Pardo Jiménez.
31. «La neutralidad española» (*«La neutralité espagnole»*). *L'Europe Nouvelle,* París, 30 de septiembre de 1939. Traducción del francés de Elena Cuasante Fernández y Pedro Pardo Jiménez.

ÍNDICE

CRÓNICAS DE LA GUERRA CIVIL

Crónicas de la guerra civil
SE TERMINÓ DE IMPRIMIR
EL 30 DE NOVIEMBRE DE 2011